D0636439

DE MELKWEG

BART MOEYAERT

DE MELKWEG

AMSTERDAM · ANTWERPEN
EM. QUERIDO'S UITGEVERIJ BV
2011

Voor Jacques Dohmen

De Melkweg tekent zich af met zwakkere en sterkere lichtvlekken tussen de polen van het heelal en glanst zo helder dat ze wijzen aan het denken zet.

Dante Alighieri

Are you ready, boots? Start walkin'!

Nancy Sinatra

VOORSTEL

Mijn broer gebruikte om de twee zinnen het woord shitzooi. Hij kon het niet laten. Met zijn voet schopte hij tegen de voet van Geesje.

Zij vertikte het om te reageren. Ten eerste omdat ze slim was geweest en een boek had meegebracht, het was een dik boek waar ze lang over deed. Ten tweede omdat je haar niet gemakkelijk op stang joeg, ook niet als je alsmaar harder schopte, zoals Bossie.

Ik reageerde in haar plaats.

'Bossie, hou op.'

Hij hield op en zuchtte diep en sprak nog eens het woord shitzooi uit, shitzooi, shitzooi. Hij deed alsof het zijn woord was. Je kon horen dat het niet van hem was en nooit van hem zou worden. Het kwam uit de krant. Er had een stukje in gestaan over een Ier die van de ene dag op de andere was beginnen te vloeken en van geen ophouden meer wist.

'Als we deze plek eens Ons Clubhuis zouden noemen?' zei Bossie ineens.

Geesje keek op. 'Ons Clubhuis?' zei ze. Ze rolde met haar ogen. 'Deze plek? Het is het eerste clubhuis zonder dak dat ik vanbinnen zie.'

'In Italië staan gebouwen zonder dak,' zei Bossie.

Ik schrok ervan dat hij over Italië begon. Mama was in Italië.

'Die gebouwen daar hebben muren,' zei Geesje.

Bossie deed alsof hij doof was.

Ik kon dat niet. Ik hoorde altijd alles. Ik onthield ook veel.

Bossie herhaalde zijn voorstel: dat we een club waren met z'n drieën, maar dat we ons clubhuis zelf om ons heen moesten denken.

Geesje en ik keken om ons heen. We probeerden ons een vol huis voor te stellen. Daar hadden we een klus aan. Er waren geen muren waaraan we posters konden ophangen, er hing geen dartsbord, er stond geen tafel, we hadden geen stoelen, geen koelkastje met frisdrank erin, we hadden geen clubhuiskat, geen eigen wapenschild, geen naam, geen radio, we hadden geen eigen lied dat we konden zingen.

Ons Clubhuis was een van de muren om OUD IJZER CV.

Aan de ene kant strekte het platte dak van het magazijn zich uit. In dat magazijn werkten Petra en Priit. Op de binnenplaats lag het oud ijzer per soort.

Aan de andere kant lag de Melkweg. Als we ons vooroverbogen en naar beneden keken, zagen we de avonturen niet op ons af komen. We zagen alleen maar magere struiken tegen de muur staan, met de grijze stoep ernaast.

'Goed,' zei ik.

'Tof,' zei Geesje met haar neus weer in haar boek.

'Hé?' zei Bossie, terwijl hij zijn borst vasthield. 'Ligt het aan mij dat we ons vervelen?'

'Jij bent de oudste,' zei ik. 'Jij beslist de dingen.'

'Broertje,' zei Bossie.

'Broer,' zei ik.

Ik merkte dat Geesje in onze richting keek. Ze hield haar gezicht in de plooi. Ze had ook kunnen lachen. Haar ogen gingen van Bossie naar mij en terug, en tot mijn verrassing kwamen ze na een tijdje weer in haar boek terecht. Ze kwamen niet meer opnieuw onze kant op.

De rug van Bossie zakte in.

'Hé,' zei hij, en hij spreidde zijn armen uit. 'Is dit het hof van de koning en ben ik zijn nar?'

Ik keek op en Geesje ook. We fronsten allebei onze wenkbrauwen. We dachten allebei aan de zon die brandde. Misschien dronk Bossie niet genoeg water, misschien sprak hij daarom raar.

'Moet ik jullie bezighouden?' zei hij.

'Jij moet niks,' zei ik. 'Maar als je een clubhuis eh... bouwt, moet je er ook voor zorgen dat er iets te beleven valt.'

'Baa,' deed Geesje, want zij had genoeg aan haar boek.

'Niks baa,' zei ik tegen Geesje. 'Hoor je bij ons of hoor je niet bij ons?'

Geesje knipperde met haar ogen. Ze zocht naar een goed antwoord. Sinds een paar weken bleef ze niet meer dag in dag uit bij ons, omdat ze af en toe bij haar tante op bezoek ging. Die tante ging waarschijnlijk dood.

Ze deed langzaam haar boek dicht en zei: 'Natuurlijk hoor ik bij jullie.'

'Dus,' zei ik, en ik keek in de richting van Bossie.

'Wat dus?' zei Bossie.

Ik zei: 'Als dit Ons Clubhuis is, moeten we ons vanaf nu als een club gedragen.'

Geesje trok haar wenkbrauwen op en sloeg bijna haar boek weer open.

'Hoe kan ik mij als een club gedragen?' zei ze, en ze wees naar zichzelf. 'Een club? Ik ben geen club. Ik ben alleen.'

JECKYLL

Bossie boog zich voorover en wees met zijn kin naar de hond van Nancy Sinatra die onder ons voorbijkwam.

'Hé, Jeckyll de Teckel!' riep hij.

We zagen het beest elke dag op dezelfde tijd aan onze voeten passeren, maar nu was het alsof er een hond langskwam die nog wel de kleur van gisteren had, maar niet meer de kop en de poten.

'Hé, Jeckyll de Teckel!' riepen we samen.

De hond keek niet naar ons op. Hij hijgde en schutterde verder op zijn korte poten. Met zijn nagels kraste hij over de tegels. Hij liep alsof hij leerde schaatsen.

Bossie en Geesje en ik keken het beest na om te zien of hij het einde van de Melkweg zou halen.

Jeckyll ging dicht tegen de struiken aan lopen.

In mijn gedachten moedigde ik hem aan als bij een wedstrijd. Toen hij de hoek omging, bewoog ik mee met mijn schouders, alsof ik hem op die manier kon vooruithelpen.

Het kostte de hond alle moeite van de wereld om zijn achterwerk gedraaid te krijgen, terwijl zijn voorkant al in de andere straat stond.

Ik klapte in mijn handen toen het hem lukte. Ik moest

me inhouden om niet over de muur te lopen en op de hoek te gaan kijken of het wel waar was wat ik had gezien.

Om de hoek lag een pleintje dat bij een kerk hoorde waar we nooit naartoe gingen. Daar liep Jeckyll altijd eerst om het plantsoen heen, voor hij aan de terugweg begon.

'Die hond,' zei ik.

'Wat leef je met hem mee,' zei Geesje.

'Ik geef hem veel kracht met mijn gedachten,' zei ik.

Geesje knikte. 'Dat zie ik,' zei ze. 'En het helpt.'

'Ja,' zei Bossie. Hij liet zijn tong uit zijn mond hangen en tikte tegen zijn hoofd en keek scheel.

Geesje en ik draaiden ons tegelijkertijd naar Bossie om.

Zij zei: 'Hoe oud ben jij eigenlijk?'

Ik siste eens en zei: 'Bossie,' precies zoals mama het zou zeggen.

NANCY

Ruim een minuut later schoof Nancy Sinatra onder ons voorbij. Ze kwam als altijd mijlen achter haar hond aan, omdat haar voeten dikwijls twijfelden.

Bossie en Geesje en ik hadden haar de hele zomer al elke dag gezien, net als haar hond, en het was nog niet in ons opgekomen grappen over haar te maken. We hadden haar nog nooit uitgelachen om de laarsjes die ze droeg, ook al waren ze belachelijk kort.

Ik viel altijd stil als ik Nancy zag. Ik kon me niet voorstellen dat je zo oud werd en dan toch nog je hond uitliet.

'Kijk toch eens,' zei Bossie.

'Wie laat eigenlijk wie uit?' zei ik.

Nancy liep over hetzelfde ijs als haar hond.

Zoals al een paar keer was gebeurd: ze durfde ineens niet verder. Meer dan een minuut lang bleef ze stilstaan. Het leek alsof ze op een hindernis die ze te hoog vond was gebotst.

Haar hoofd kwam uit haar kraag als de kop van een schildpad onder zijn schild vandaan, alsof ze op haar hoede was voor de auto's en de fietsen die haar ondersteboven zouden rijden. In de Melkweg kwam haast nooit verkeer, dat moest ze onderhand weten.

Ze tilde haar voet hoog op en zette hem een eindje verderop voorzichtig weer neer.

Bossie helde naar voren en deed zijn mond open om iets te roepen, maar hij hield zich in. Hij keek Nancy na, zoals ik daarnet Jeckyll had nagekeken. Hij bewoog met zijn bovenlijf, draaide met zijn schouders, alsof hij zelf ook de hoek omging.

Zodra Nancy uit het gezicht was verdwenen, zuchtten we met z'n drieën.

Ze had het weer gehaald.

WEDDENSCHAP

Op het pleintje voor de kerk bleef Nancy altijd staan kijken hoe Jeckyll de bocht om het plantsoen maakte en even het gras op ging, voor ze samen terugliepen.

'Hm,' deed Bossie. Hij trok zijn mondhoeken naar beneden.

'Wat?' zei ik.

'Wacht nog een paar dagen en Nancy komt geen meter meer vooruit. Dan valt ze voor altijd stil.'

'Hou op,' zei Geesje. 'Je moet iemand niet dood denken voor hij dood is.'

Bossie maakte een geluidje met zijn tong, alsof Geesje hem stoorde in een goede gedachte die hij had willen afmaken. Hij zei dat hij het woord dood niet had gebruikt.

'Stilvallen is hetzelfde als doodgaan.' Ze legde haar boek naast zich neer, zwaaide haar benen naar de straatkant toe, en ging naar achteren leunen, met haar handen op het dak van het magazijn.

Ze zei: 'Jeckyll de Teckel is táchtig.'

'Nancy ook,' zei Bossie. 'Ongeveer.'

'Tachtig mensenjaren, voor een hond,' zei Geesje. 'Voor een hond is tachtig stokoud.'

'En voor een mens niet dan? Ik ken niemand van tachtig.'

Geesje zweeg even, en keek weg.

'Je klinkt een beetje dom, Bossie,' zei ze. 'Een hond van tachtig gaat sneller dood dan een mens van tachtig.'

'De oudste hond ter wereld is honderdveertig, in mensenjaren.'

'Wat heeft dat ermee te maken?' zei Geesje. Ze blies het zweet van haar gezicht. 'Een hond gaat gemakkelijker dood dan een mens. Kijk naar Jeckyll. Zijn buik schuift al bijna over de grond, zo graag wil hij gaan liggen. Straks zakt hij door zijn poten van de moewigheid.'

'Moewigheid?' zei Bossie. 'Moewigheid zegt niks. Als moewigheid iets betekent, dan zijn wij ook dood tegen het einde van de week.'

Ik moest lachen.

'Ja,' zei ik. 'Als moewigheid een teken is dat je binnenkort doodgaat, dan word ik nu begraven.'

'Hou je mond,' zei Geesje. Ze bedoelde dat het sneller met je gebeurd is dan je dacht.

Bossies gezicht ging open van plezier.

'Luister eens,' zei hij, en hij stak zijn open hand naar Geesje uit. 'Zullen we wedden?'

'Wedden?'

'Wie het eerst doodgaat.'

Geesje schudde heftig met haar hoofd. 'Nee nee nee.'

'Wat nee nee nee?'

'In het boek dat ik aan het lezen ben belooft iemand

MYSTERIE

Toen de klok in de toren de volgende dag zes keer sloeg, keken we naar Nancy en Jeckyll uit. We gingen op onze tenen op het uiterste puntje van het dak van de opslagplaats staan. Geesje stelde voor te gaan roepen.

'Jeckyll! Nancy!'

Wat haalde het uit – het waren hun echte namen niet.

Jeckyll en Nancy kwamen niet.

We zeiden dat het toeval was. Morgen zouden ze weer voorbijkomen.

We noemden de mogelijkheden op. Nancy en haar teckel waren op vakantie gegaan. Nancy was ziek, zodat ze Jeckyll niet kon uitlaten. Jeckyll was ziek, zodat er niks was om uitgelaten te worden. Ze waren veranderd van gewoontes. Ze volgden vanaf nu een ander pad. Ze wisten niet meer hoe ze bij de Melkweg moesten komen. Ze waren verhuisd. Jeckyll had een nieuw plantsoen gevonden om omheen te lopen.

Bossie stootte Geesje aan en zei dat er dus twee winnaars waren.

'Waarom twee?' zei Geesje.

'Omdat ze allebei dood zijn,' zei Bossie. 'Ze zijn tegelijkertijd doodgegaan.' Hij stak zijn vuisten omhoog om te gaan juichen, maar ik snoerde hem de mond.

'Hou je in,' zei ik.

'Ja,' zei Geesje. 'Je moet de dood niet in zijn gezicht uitlachen.'

We klommen van de muur af en volgden de stoep tot op de hoek waar we Nancy en Jeckyll altijd zagen verschijnen. Daar kreeg Geesje het idee om aan een man die toevallig in de Stoofstraat voorbijkwam te vragen of hij een oude vrouw en haar hond kende.

'Een oude vrouw en haar hond?' zei de man.

'Ja,' zei Geesje. 'Een oude hond en een oude vrouw met rode laarzen. Weet u waar ze vandaan komen?'

'Waar die laarzen vandaan komen?' zei de man grinnikend.

'Nee,' zei Geesje. Ze rolde met haar ogen en keerde de man de rug toe.

Ze stelde de vraag aan een andere voorbijganger, een man die geen grappen maakte, maar die jammer genoeg ook geen oude vrouw met een hond kende.

Er waren mensen die wel meteen wisten over wie we het hadden.

Sommigen hadden zelf een naam voor Jeckyll of Nancy bedacht, zoals wij ze een naam hadden gegeven. Zij zagen die twee ook elke dag in de Stoofstraat voorbijkomen. Een vrouw zei: 'Als iemand een naam heeft, bestaat hij echt.' De mensen spraken over Schoffel of Mop of Het Scheve Hondje. Nancy noemden ze Slof of Bochel.

We zeiden niet dat wij haar Nancy Sinatra hadden genoemd, naar een zangeres die we kenden van een plaat die bij ons thuis tussen de verzameling van mama stond. De zangeres zong al heel lang en had veel liedjes gemaakt, ook een hit over laarzen.

De mensen vertelden dat ze de vrouw en haar hond als klok gebruikten, op weg naar een afspraak of als ze op de bus wachtten naast de poort van OUD IJZER CV. Op die twee konden ze hun klok gelijkzetten. Als je Nancy en Jeckyll in de buurt van de Melkweg zag, dan wist je dat het bijna zes uur was.

Maar waar Nancy en Jeckyll precies vandaan kwamen, dat wisten ze niet te vertellen.

'Het is een raadsel,' zei Geesje. Ze keek Bossie en mij aan en trok haar wenkbrauwen op. 'Een mysterie.'

KERKHOF

De volgende dag werd er bij ons in de Pomonastraat, waar we toen nog woonden, op de achterdeur geroffeld. Het was heel vroeg, ik kon het aan de gordijnen zien, het was nog maar voorzichtig licht.

Ik ging rechtop in bed zitten, keek of Bossie onder zijn laken lag. Hij lag er.

Ik probeerde te horen wie er beneden was.

In de keuken klonk de stem van papa. Hij vroeg wat er scheelde.

Tot mijn verbazing was het Geesje die antwoord gaf. Ik hoorde haar zeggen dat het geheim was. Ze wilde niks zeggen vóór Bossie en ik in de kamer waren.

Papa ritselde met de krant en deed *oeh*, als een uil. Daarna riep hij onze namen in de richting van de trap.

Ik hoefde Bossie niet aan te porren.

Toen we bijna beneden waren, liep Geesje naar ons toe. Ze fluisterde dat er op het kerkhof twee kuilen waren gegraven. Haar ogen hadden haar niet bedrogen: naast de grote kuil met de grote berg zand had ze een kleine berg zand gezien. Er moest ergens een kleine kuil zijn.

'Scheelt er wat?' vroeg papa, die over een groot krantenstuk gebogen zat en niet luisterde, dat wisten we ongeveer zeker, omdat papa altijd zei dat hij geen twee dingen tegelijkertijd kon doen.

'Niks, niks.'

We trokken onze kleren aan, propten een boterham achter onze kiezen omdat we van papa niet met een lege maag de deur uit mochten, en holden de weg op.

'Voorzichtig,' riep papa ons na, en hij sloeg een bladzijde om.

'Ja,' riep ik, en ik zag dat de veters van mijn schoenen los waren – ik liet ze los.

Af en toe keken Bossie en ik om, of Geesje ons wist bij te houden. Ze kneep in haar zij en hield vol.

Toen we bij het kerkhof kwamen, stond daar een witte kist klaar, en eromheen hadden de mensen veel verdriet.

Iemand zei dat we afscheid moesten nemen van meneer Geboers, en de man werd beschreven als goed en geduldig.

In de kleine kuil die gegraven was, stond een grote hortensia met reusachtige, purperen bloemen.

Bossie en ik keken naar elkaar en lieten de lucht langzaam uit onze longen lopen. De grote kuil was niet voor Nancy bedoeld. De kleine kuil was niet voor Jeckyll.

Ik vroeg aan Geesje wat ze in 's hemelsnaam op het kerkhof was gaan zoeken.

'Gisteren zochten mama en papa en ik een plek voor mijn tante,' antwoordde ze, en ze wees de andere kant op. 'Mama en papa willen haar daar onder de bomen leggen.'

Ik zorgde ervoor dat Bossie geen grap maakte. Ik zorgde ervoor dat hij niks zei over de dood. Ik knikte eens naar hem, en ik hoopte dat hij me zonder woorden begreep. We lieten Geesje met rust.

VERHAAL

We gingen in Ons Clubhuis zitten. Het was er heet. De wind ruiste door de bomen die langs de Stoofstraat stonden. We hielden ons bezig met niksen, en niksen was niet hetzelfde als vervelen.

We speelden *Ik ga op reis en ik neem mee*. De dingen die Geesje meenam konden we beter onthouden dan onze eigen spullen. We neurieden liedjes waarvan je de titel moest raden. We kregen ruzie omdat ik vals neuriede en dat werd valsspelen genoemd, terwijl vals neuriën en bedriegen twee verschillende dingen zijn.

’s Namiddags stelde Bossie voor een verhaal te verzinnen over Nancy en Jeckyll. We moesten het op zo’n manier vertellen dat het leek alsof het echt gebeurde, daar, op dat moment.

‘En moet Nancy in het verhaal doodgaan?’ zei Geesje.

‘Dat mag,’ zei Bossie grijnzend.

Hij keek over de muur en zette zijn handen op zijn heupen.

‘Kijk eens wie we daar hebben,’ zei hij overdreven verrast. ‘Nancy Sinatra en haar hond.’

Zo begon ons verhaal.

In het verhaal klom Bossie van de muur. Hij liet het lijken alsof er veel durf voor nodig was. De muur was te recht om een goede klimmuur te zijn, dat was waar, maar gevaarlijk kon je het klimmen niet noemen: het was een kwestie van ritme en een beetje oppassen.

Ik hield me goed vast. Ik duwde de neus van mijn rechterschoen in een voeg, ik zette mijn linkervoet ernaast. Soms schaafde ik wel eens mijn knie of mijn wang, omdat ik te snel wilde zijn, maar in het verhaal dat we verzonnen ging het natuurlijk goed.

Ik veegde net als Geesje en Bossie mijn handen af aan mijn kleren.

'Daar zijn we dan,' zeiden we tegen Nancy, die er niet was.

We hoorden zelf hoe dat klonk. Het leek alsof ze ons om hulp had gevraagd, terwijl ze niks had gevraagd. Ze had nog nooit iets aan ons gevraagd.

'Daar staan jullie dan,' zei ze, en ze bekeek ons een voor een van kop tot teen door een beetje naar achteren te gaan hangen. Ze glimlachte. Ze had geen boodschappen bij zich die we konden helpen dragen. Ze hoefde de weg niet over te steken. Ook van dichtbij zag ze er niet uit alsof ze hulp kon gebruiken. Alleen haar benen waren onzeker.

'Wat bent u fit,' loog Geesje tegen haar.

'Alweer op stap?' zei Bossie.

'Ja,' zei Nancy met alle adem die ze nog in haar longen had, want ze wilde laten horen hoe graag ze op stap was. Ze glimlachte breed en wees naar Jeckyll, die in ons verhaal een paar meter verderop met zijn achterwerk naar ons toe stond te wachten. Zijn staart hing.

'Hij heeft een slechte dag,' zei Nancy. Ze maakte aanstalten om door te lopen.

'U niet,' zei ik.

Geesje en Bossie en ik keken naar elkaar. We giechelden omdat het verhaal zo goed ging.

'U heeft altijd goede laarzen aan,' zei Geesje. 'U wandelt traag, maar u wandelt graag.'

'Hja!' zei Nancy, en ze probeerde het belang van goede laarzen en traag wandelen te onderstrepen door haar handen naar haar oren te brengen en met haar hoofd te schudden. 'Als je wat ouder wordt, zoals ik, zijn goede laarzen heel belangrijk. Je moet veel grond onder je voeten hebben.'

Bossie keek naar Nancy's voeten. 'Met dat paar laarzen stapt u naar Novosibirsk,' zei hij.

'Novosibirsk?' zeiden Geesje en ik tegelijkertijd.

'Novosibirsk,' zei Bossie. 'Zijn ze niet te warm?'

'Nee,' zei Nancy. 'Nee. Het bont is warm in de winter en koel in de zomer. Ze zijn precies goed. Waar ligt Novosibirsk?'

'In Rusland.'

We zwegen. In ons verhaal waren we even uitgepraat.

Nancy draaide haar voeten al een beetje in de richting die ze op wilde, en ze hield haar armen een eindje van zich af.

Ik zei dat ze liep als een meneertje met een hoed. 'Meneertjes met een hoed maken veel overbodige bewegingen. Ze hebben de gewoonte om eerst hun voeten neer te zetten, en daarna laten ze de rest van hun lichaam volgen.'

'U loopt voorzichtig,' zei Geesje.

'Op uw slechte benen met uw goede laarzen,' zei Bossie grijnzend.

Het zag ernaar uit dat Nancy haar weg van altijd zou vervolgen, en dat wij weer alleen bij de muur zouden achterblijven. Een paar stappen verderop bleef ze toch weer staan en keek om.

'Hebben jullie Jeckyll eigenlijk nog zien lopen?' zei ze.

We keken naar haar. Daarna keken Geesje en Bossie en ik naar de plek waar Jeckyll tot een halve minuut geleden met zijn achterwerk naar ons toe had staan wachten, op een paar stappen van ons af.

Hij stond er niet meer.

We draaiden om onze as, eerst in de richting van de kerk en het plantsoen, dan naar de overkant van de Melkweg, en uiteindelijk liepen we met onze ogen het hele eind de stoep af, langs de struiken die hier en daar naast de muur groeiden, de Melkweg uit, tot bij de Stoofstraat, waar het lawaai van het verkeer gedempt werd door de bomen.

De geluiden die uit de Stoofstraat kwamen vielen op, omdat het tussen ons zo stil was. Ook zonder het hardop te zeggen wisten we dat Jeckyll deze keer bijzonder snel was opgeschoten op zijn korte poten.

Bossie maakte zich van ons los. Hij zei dat hij in de

Stoofstraat zou gaan kijken. 'Alles komt goed,' voegde hij eraan toe. Hij stak zijn handen op en zette het op een lopen.

De paniek hing een tijdje als een veel te warme deken om onze schouders.

'Er zal toch niks met de hond gebeurd zijn?' fluisterde Nancy.

'Nee,' zeiden Geesje en ik in koor.

We noemden alles op wat er niet gebeurd was, om haar gerust te stellen. Er was geen fiets over Jeckyll heen gereden. Hij had geen trap gekregen van een of andere bullebak die vond dat de hond in de weg liep. Hij had geen kramp in zijn poten gekregen, geen vergif gegeten, hij had zich niet verschrikkelijk gesneden aan een verroest blik in de goot, hij had niet ineens een klonter in zijn kop gekregen.

Toch zagen we Nancy krimpen in haar lichtgroene jasje.

'Rustig,' zei ik. 'Jeckyll loopt altijd voor u uit. Het scheelt haast altijd een halve straat en er is nog nooit iets gebeurd, waarom zou er dan nu wel iets gebeurd zijn?'

'Ja,' zei Geesje. 'Waarom zou er dan nu wel iets gebeurd zijn?'

'Toch?' zei ik, en ik bedoelde dat woord gewoon als een lief geluidje.

Nancy gaf geen antwoord.

Ze wachtte, net als wij.

We wachtten lang, en luisterden naar het zinderen van de hitte.

Onbeweeglijk keken we in de richting van de Stoofstraat. Het was niet druk en de auto's reden niet snel, maar elke auto reed door ons hoofd, en in het geval van Nancy ook over haar heen.

Ze dacht aan haar Jeckyll en ze leefde met hem mee.

Af en toe geloofden we dat we haar hoorden snikken, maar het was zenuwachtig kuchen wat ze deed.

Bossie bleef in ons verhaal lang weg.

We beeldden ons in hoe hij de hoek om zou komen met een dode hond in zijn armen. We beeldden ons in hoe we zouden reageren. Zouden we moeten overgeven, omdat we zo erg van streek waren? Zou Nancy zich huilend op de grond laten vallen, en zouden we hulp moeten halen omdat ze ontroostbaar bleek?

Toen Bossie eindelijk verscheen, konden we niet geloven dat zijn armen leeg waren.

Hij riep: 'Nergens!'

De betekenis van dat woord drong maar langzaam tot ons door. Geesje en ik wisselden een blik en keken om naar Nancy.

'Dan moet hij ergens hier in de buurt zijn,' zei Geesje.

Nancy knipperde een paar keer met haar ogen en maakte haar lippen vochtig. Ze bracht een hand naar haar kin. Ze zei: 'Ik had hem toch wel bij me?'

'Natuurlijk had u hem bij u,' zeiden Geesje en ik. 'We kunnen ons u niet voorstellen zonder hond.' We grinnikten eens. Ons geluid stierf snel weg.

Geesje zakte een beetje in elkaar en draaide zich om. Ze zei tegen Bossie dat ze ons verhaal beu was.

'Beu?' zei Bossie. 'We waren net goed op dreef. Ik kom met nieuws uit de Stoofstraat.'

'Hallo,' zei Geesje. 'Je komt zónder hond uit de Stoofstraat.'

Het duurde even voor ik besefte dat ik nog steeds op de muur zat, met Geesje naast me, en Bossie achter ons op het dak van het magazijn. Ik moest me inhouden om niet over de rand van de muur te kijken, of wij echt niet daarbeneden op de stoep stonden, met Nancy in haar groene jasje naast ons.

Geesje duwde de lucht in haar longen in één keer naar buiten. Er kwam stoom uit haar oren. Ze zei: 'Je kunt niet doen alsof jij wikt en beschikt, Bossie. Nancy en Jeckyll zijn levende wezens. Als het over mensen en beesten zou gaan die we zelf verzinnen, ja, dan zou ik erom kunnen lachen, maar Nancy en Jeckyll bestáán.'

'Misschien al niet meer,' zei Bossie.

Geesje tilde haar hand op. Even dacht ik dat ze de glimlach van Bossies gezicht ging slaan.

'Jongetje,' riep ze. 'Ik hoop voor jou dat het Náncy is die al niet meer bestaat. Dan heb jij gewonnen. Dan kan ik weer gewoon verder lezen en jij bent een dag lang de baas, jij gelukkig.'

'Ja!' zei Bossie. 'Ik gelukkig. Dan ben ik morgen een hele dag de baas.'

Hij schrok, omdat de klokken begonnen te luiden.

Het was zaterdag, en dan was er om zes uur een kerkviering.

We begrepen dat we over een kwartiertje meer zouden weten. Misschien, heel misschien, liepen Nancy en Jeckyll zo meteen de Melkweg in. Zoals het de hele zomer was geweest: eerst Jeckyll, daarna Nancy.

Ik hoopte dat ze er allebei zouden zijn, maar geen van beiden was ook goed.

Vijf minuten bleven we om ons heen zitten kijken, alsof er niks aan de hand was.

Daarna schoven we een eindje naar voren op de muur. We gingen vooroverhangen. We hielden onze adem in en wachtten af.

Ze kwamen niet.

Toen het beieren van de klokken overging in kleppen, ongeveer om drie voor zes, kwam er een nieuw meisje in ons leven.

MEISJE

'Wie is dat?' zei Bossie, terwijl hij het meisje aanwees dat vanuit de Stoofstraat onze kant op liep. Ze zag er ouder uit dan Geesje, en verder was ze met geen enkel meisje dat we kenden te vergelijken.

Ze kwam op lange, dunne benen aanzetten over de Melkweg. Ze stak de weg dwars over. Ze droeg slippers. Haar haren waren bijna geel, en ze zong voor de hond die ze in haar armen hield. De hond was haar baby.

Ik dacht van veraf te zien dat haar baby lang was en dat hij een grijzende kop had. Op het moment dat ze onder ons door liep, zag ik een hond die op Jeckyll leek.

'Nee nee nee,' zei ik.

Bossie knikte. Hij zoog zijn mondhoeken naar binnen.

'Ja ja ja,' zei hij. 'Wel.'

Geesje, die meer op het rare haar van het meisje had gelet dan op de baby, zei: 'Wat was dát?'

Ik zei: 'Hij leeft nog.'

Bossie probeerde niet met zijn ogen te knipperen. 'Ja,' zei hij. 'Ik denk dat ik hem ook heb gezien. Jeckyll leeft nog. Dat is goed nieuws, ik meen het.'

We bogen met z'n drieën voorover, om nog een glimp

op te vangen van het meisje met de lange benen.

Zodra ze de hoek om was, kon Bossie niet snel genoeg van de muur af komen.

'Kom,' zei hij.

'Waar ga je naartoe?' zei Geesje.

'We hebben bewijs nodig.'

'Bewijs?' Ze keek verbaasd, maar ze hield zich al met twee handen vast aan de muur, klaar om naar beneden te klauteren.

'Wie gaat er met mij mee?' zei Bossie.

'Als we maar op tijd thuis zijn voor het eten,' zei ik.

'Het zal niet lang duren.'

Geesje en ik volgden Bossie op de voet.

We bleven aan het eind van de Melkweg staan en gluurden met z'n drieën om de hoek.

Het meisje was niet om het plantsoen heen gelopen, zoals ik had verwacht. Ze had het paadje naast de kerk gekozen. Ze zette er de pas in op haar stelten.

Als in de film gingen we achter haar aan.

Als zij in een straat verdween, kwamen wij tevoorschijn. We slopen als rovers naar de overkant. We doken te pas en te onpas weg in een portiek of gooiden ons in een struik.

Van de tien kleine rijtjeshuizen liepen we naar de grotere rijtjeshuizen, naar de huizen die Siamese tweelingen leken, met een tuin eromheen.

We volgden het meisje met de lange benen tot in een buurt waar we nooit kwamen, de buurt van de Benedenhoutseweg, waar lindebomen langs de lanen groeiden.

Achter al dat lichte groen stonden oude villa's met reusachtige tuinen eromheen.

Het meisje liep een oprijlaantje op. Er stonden grote heesters langs waaronder je hele hutten kon bouwen. De clubhuizen groeiden er in het wild. Je had geen vodden nodig, geen karton.

We doken een rododendron in, en slopen van de ene struik naar de andere, tot vlak bij het huis waar het meisje naartoe liep. Daar gingen we naast elkaar op onze buik liggen, en tuurden tussen de bladeren door.

'Wat een huis,' fluisterde Geesje.

We konden de patio zien. We waren er zo dichtbij dat we de mensen die daar om een tafel heen zaten bijna konden ruiken.

Ze hadden glad, achterovergekamd haar. Ze zaten te borrelen en ze praatten met gedempte stemmen. Er klonk muziek van een piano. Naast de tafel was een hoge, dubbele deur die openstond.

Vanaf de plek waar we lagen, keken we zo naar binnen. Er was niks wat onze blik tegenhield. Geen stoelen of tafels, geen kasten. We keken helemaal van voor naar achter door het huis. Voorkamer, zitkamer, keuken, we konden bij wijze van spreken recht in de pannen kijken die op het vuur stonden.

Het zag ernaar uit dat ze feestelijk gingen eten. Ik dacht alleen maar: bij ons is dat lang geleden.

Het meisje met de lange benen kon de hond geen minuut missen, ze keerde voortdurend naar hem terug. Dan riep ze al van ver: 'Blijf! Blijf!', terwijl de hond geen aanstalten maakte om een poot te verzetten. Zij deed alsof hij wel naar haar toe was komen lopen. 'Flinke jongen!' zei ze, en dan tilde ze hem op.

'Laat hem toch,' zei een mooie vrouw aan de tafel op de patio, maar het meisje gehoorzaamde niet.

'Alsof die hond een stuk speelgoed is,' zei Geesje.

Bossie kreunde.

Ik keek naar hem en vroeg wat er scheelde.

'Niks.' Hij ging op zijn rug liggen. Hij staarde een tijd naar het dak van takken en bladeren boven zijn hoofd, sloot zijn ogen en zoog lucht tussen zijn tanden naar binnen. Hij zweeg.

Ik keek van hem naar het huis, en van het huis naar hem. Bijna vroeg ik of hij het net als ik lastig vond om al die gezelligheid te zien.

Binnen werd er geroepen dat de aardappelen bijna gaar waren, en of iemand de sla wilde wassen. De stem galmde door het huis. De aardappelen en de sla werden er erg belangrijk van.

De hond blafte schor.

Door drie mensen tegelijk in dat galmende huis werd hij gesust. 'Niet doen, hou op.'

Het hielp.

Geesje sloop op haar ellebogen een eindje naar me toe en helde naar me over.

Ik voelde haar hart kloppen tegen mijn arm.

'Wat denk je?' fluisterde ze.

'Wat bedoel je?' zei ik.

'Dat daar is Jeckyll niet, of wel?'

Bossie liet zijn hoofd in onze richting vallen.

'Ik hoor jullie wel,' zei hij.

Geesje maakte een grommend geluidje in haar keel. Ze duwde haar lippen op elkaar en ging net als mijn broer op haar rug liggen.

Ik keek van Bossie aan mijn ene kant naar Geesje aan mijn andere kant. Daarna keek ik als enige weer naar het huis.

De hond zat als een oud mannetje in de open deur. Hij keek eens naar links, hij keek eens naar rechts, en daarna geeuwde hij met zijn hele lijf.

'Mm,' deed ik. 'Dat daar is Jeckyll niet. Die hond daar is jonger.'

Geesje en Bossie draaiden hun gezicht tegelijkertijd naar mij toe. Ze hielden allebei hun adem in.

'Of niet?' zei ik.

’s Avonds, toen we thuis waren, at Bossie bijna niks. Eerst dacht ik dat hij geen honger had van de opwinding over Jeckyll, maar de goulash van papa zou hij voor niks ter wereld laten staan, ook niet voor een weddenschap.

‘Wat is er?’ fluisterde ik onder het eten, toen papa een fles water uit de koelkast pakte.

Bossie bewoog zijn bovenlijf heen en weer, en trok zijn wenkbrauwen hoog op.

Ik deed Bossie na en begreep dat hij het over het waggelende gangetje van Jeckyll had.

‘Wij moeten straks nog een kwartiertje naar buiten,’ zei ik tegen papa’s rug.

‘Als jullie maar om negen uur weer thuis zijn,’ zei papa.

‘Negen uur,’ zei Bossie. ‘Geen seconde later.’

Na het eten muisden we naar buiten.

We maakten een ommetje langs het huis van Geesje.

Daar was geen beweging te zien.

Bossie vond het niet erg. ‘We hoeven er ook niet altijd met z’n drieën op uit te trekken,’ zei hij.

Hij leidde me zonder omwegen via de tien kleine rijtjeshuizen, de grote rijtjeshuizen en de Siamese tweelingen, naar de Benedenhoutseweg en de hutten onder de rododendrons.

We belandden naast elkaar op onze buik, en kregen de ondergaande zon in ons gezicht.

'Shitzooi, shitzooi.'

De dubbele deur van daarnet was dicht en donker. Over de vloer van de patio hupte een ekster, op zoek naar gevallen eten. Er was niemand die hem wegjoeg, geen hond die naar hem blafte. Het was moeilijk te geloven dat dit het huis van daarnet was. Er bewoog of gonsde niks. Er ademde niks. Het stof stond stil in de lucht.

De zon zakte weg achter de bomen.

De sporen op de grond bewezen dat we er een uur geleden met z'n drieën naast elkaar hadden gelegen. De warmte van de dag hing nog onder de struik, maar als je de grond aanraakte, kroop de kou onder je hand.

Op de nok van het huis streek een merel neer. Hij zong voor de hele buurt. Hij was de baas van de vogels. Kies ergens een tak, zong hij. Zoek een plek voor de nacht. Vouw je vleugels op tot morgen.

Het licht om het huis werd blauw. Onder de rododendron ging het langzaam schemeren.

Ik legde mijn ene hand in de andere en gebruikte ze als hoofdkussen. Ik keek naar het halfdonkere gezicht van mijn broer. Ik keek de hele tijd naar hem, in de hoop dat hij iets bemoedigends zou zeggen. Hij moest zeggen dat de hond die we vanavond hadden gezien, niet Jeckyll was. Hij moest zeggen dat hij zeker wist dat Jeckyll nog leefde. Hij moest me geruststellen dat Nancy er ook nog was. Aan de hand van een waargebeurd verhaal moest hij bewijzen dat niemand stierf omdat er een weddenschap was aangegaan. Je kon speldjes in een poppetje stoppen, maar honderd kilometer verder viel er niet per se iemand van dood.

Bossie zweeg. Hij maakte geen aanstalten om naar huis te gaan.

'Wat moeten we thuis gaan doen,' zei hij toen ik hem op de tijd wees.

'Morgen kunnen we terugkomen,' zei ik. 'Dan zien we... eh haar misschien.'

'Ja,' zei Bossie. 'Dan zien we haar misschien.'

In het halfdonker lichtten zijn ogen op.

Ik keek naar hem. Ik begreep waarom we langer dan een uur onder de struik hadden gelegen, zodat het onkruid bijna door onze buik heen was gegroeid.

Het was Bossie niet meer te doen om Jeckyll. Het ging niet om Nancy of haar laarzen. Het kon hem niet schelen of ze dood of morsdood was. Wie de weddenschap won zou hem een zorg zijn.

Ik lachte eens naar Bossie, maar hij zag het niet.

'Goed,' zei ik. 'We komen morgen terug.'

Het was vijf voor negen toen we onder de rododendron vandaan kropen. Dat was erg laat – bijna te laat volgens de regels van papa.

Hij was niet zo'n papa die zijn kinderen voor straf zonder boe of ba naar bed stuurde, en ervan uitging dat er morgen een nieuwe dag was. Hij was niet van het soort dat er een dag later nog eens over praatte en alles daarna weer goedmaakte. Als we te laat thuiskwamen, riskeerde Bossie minder zakgeld en ik riskeerde de voorraadkast, met een glas water en een chocoladewafel tegen de dorst en de honger. Die straffen had papa niet zelf verzonnen. Die straffen had hij van mama overgenomen, mét het glas water en de chocoladewafel.

Bossie kwam moeizaam overeind.

'Morgen is er weer een dag,' zei hij.

NACHT

Midden in de nacht schrok ik wakker van iemand die in mijn droom in mijn oor had geschreeuwd. In het echt was het misschien een mug die had gebruld, maar hoe dan ook: ik vond het niet prettig om van een schreeuw wakker te worden.

Een tijdje lag ik met wijd opengesperde ogen naar het plafond te kijken. Ik spitste mijn oren, ving flarden op van de muziek die in papa's werkkamer speelde. Het volume stond zo zacht dat het soms leek alsof ik me de muziek inbeeldde.

Papa werkte als wij sliepen. Wat hij overdag bedacht schreef hij 's nachts op. Zijn stukken zochten hun vorm, zei hij. Ordenen was een groot karwei. Ik wist nooit wat hij er precies mee bedoelde, maar het klonk als iets wat altijd goed kwam.

Ik was ervan overtuigd dat ik me erg stil omdraaide in bed, en ook stil bleef liggen, maar nee: Bossie had blijkbaar aan de andere kant van de kamer mijn hart horen bonken. Hij had al mijn bewegingen gevoeld, de lucht die ik had verplaatst. Hij liet me een hele tijd zuchten en snuiven en binnensmonds mopperen omdat ik de slaap niet kon vinden, en zei toen ineens: 'Oz?'

‘Ja?’ zei ik geschrokken.

‘Gaat het?’

‘Ja,’ zei ik. ‘Nu wel weer.’

Dat was niet gelogen. Het ging beter, alleen al door de opluchting dat Bossie wakker was.

‘Je moet slapen,’ zei Bossie.

‘Ja,’ zei ik. ‘Jij ook.’

Het duurde nog lang voor we allebei deden wat we tegen elkaar hadden gezegd.

MOE

’s Ochtends zat papa met een grauw gezicht aan de ontbijttafel te wachten tot onze boterham op was en we naar buiten verdwenen. Het zou geen minuut duren of hij zou de tafel onopgeruimd achterlaten en de trap op sloffen om boven slaap in te gaan halen.

Bossie en ik gingen terug naar de rododendron naast het huis. Om Bossie een plezier te doen hield ik het een paar uren vol, maar tegen twaalven had ik er genoeg van. Het enige wat volgens mij in dat huis bewoog was een vlieg, een spin in een web, een beetje wind.

Ik wilde daar geen tijd meer verliezen.

Ik zei tegen Bossie dat hij in zijn eentje onder de rododendron mocht blijven liggen. Ik miste Geesje. Ik zou thuis een pak wafels halen voor ons middageten en daarna wilde ik terug naar de Melkweg, naar de muur om OUD IJZER CV, of zoals we hadden afgesproken: Ons Clubhuis. De muren en het dak ontbraken, maar er gebeurde in elk geval meer dan in de tuin aan de Benedenhoutseweg. Ik wilde op het dak van de opslagplaats naar het gehamer van Petra en Priit onder me liggen luisteren in plaats van liggen zuchten en zwijgen en op een meisje wachten dat niet kwam.

'Welk meisje?' probeerde Bossie nog, maar ik keek hem aan en bewoog mijn bovenlijf op zo'n manier heen en weer dat hij niet eerst aan het waggelende gangetje van Jeckyll dacht. Ik stopte mijn tong onder mijn bovenlip en duwde de lange haren die ik niet had naar boven. Ik keek zoals het meisje met de lange benen keek.

Bossie wist niet hoe hij de grijns van zijn gezicht moest halen. Hij gaf me een slappe tik tegen mijn schouder.

Ik gaf hem een harde tik terug. Ik zei dat ik hem vervelend vond. De hele zomer al had hij niks anders gedaan dan gemopperd en gekreund, maar gisteren en vandaag was het wel heel erg beginnen op te vallen.

'Bossie,' zei ik. 'Geen wonder dat veel mensen een hekel hebben aan meisjes die zo oud zijn als dat meisje met haar gele haar. Dat komt omdat de mensen zien wat zulke meisjes bij jongens veroorzaken. Onbegrijpelijk.'

'De expert is aan het woord,' zei Bossie.

'Het meeste heb ik van jou geleerd,' zei ik, en ik kroop onder de struik vandaan.

'Ja ja goed,' zei hij achter mijn rug. 'We gaan.'

OUDIJZERS

Op het dak van het magazijn troffen we Geesje aan. We begroetten haar. Onze stem zakte, zodat het ineens klonk alsof we bij een mannenkoor zongen. Het was erg druk geweest vanochtend. Poe poe druk, zo'n liedje zongen we.

Geesje hield op met lezen en keek over de rand van haar boek. Ze vroeg waarom we in haar zon bleven staan.

Ze had een smalle handdoek uitgespreid. Ze lag erop alsof ze in een doos lag die een beetje te krap voor haar was. Haar badpak was roze, en haar zonnebril en haar slippers waren op kleur gekozen.

'Ik heb mijn tijd nuttig doorgebracht,' zei ze met haar ogen dicht. 'Ik heb op Ons Clubhuis gepast.'

Bossie grijnsde. 'Een halfuur op je rug, een halfuur op je buik, een halfuur op je rug?' zei hij.

'Ha ha, ik moet lachen,' antwoordde Geesje. Ze drukte zich op haar ellebogen overeind, gooide haar gewicht naar één kant en draaide zich op haar buik, om Bossie te laten zien dat hij haar rug op kon.

'Al die tijd was het hier rústig,' zei ze.

Bossie wees naar de twee handdoeken die opgevouwen naast haar klaarlagen.

'Erg rústig, ja,' zei hij. 'En je had ons geloof ik niet verwacht.'

Geesje keek eens naar de handdoeken, en slikte.

'Jullie mogen er wel op liggen als jullie dat willen,' zei ze, en ze draaide haar hoofd weg.

We gebruikten de handdoeken niet.

Bossie trok zijn T-shirt uit. Ik hield mijn overhemd aan.

We gingen elk aan een kant van Geesje zitten. Bossie op de muur – op de uitkijk, want je wist maar nooit.

Boven het dak en de stapels schroot op het binnenplein van OUD IJZER CV kon je de lucht zien bewegen. Er was geen zuchtje wind.

Beneden waren Petra en Priit aan het werk. Ze sleutelden aan de motor van hun pick-up.

Ik knikte naar ze.

Zij knikten terug.

Bossie en Geesje en ik waren er aan het begin van de zomer achter gekomen dat Petra en Priit onze taal niet goed kenden. Ze konden een zin beginnen die wij begrepen, maar ze haalden nooit het eind. Halverwege vervielen ze in gemompel, ze probeerden wat losse woorden uit, in de hoop dat het goedgekozen woorden waren, maar het waren altijd de verkeerde. Ze gebruikten woorden als stuur voor wiel en boot voor bout, en verder stootten ze de klanken uit die bij ze opkwamen en ten slotte gooiden ze hun armen in de lucht en deden ze 'Ah,' alsof ze pijn hadden.

Geesje zei eens dat Petra en Priit Oudijzers spraken.

Vanaf toen deden we alsof die taal bestond, alsof alleen Geesje haar kende, al wisten we dat Petra en Priit niet uit Oud IJzer kwamen.

'Wat zeggen ze nu?' vroegen we aan Geesje, als we weer eens een zin van ze hoorden.

'Hm, dit is een woord dat ik niet ken,' zei Geesje dan.

Soms antwoordde ze snel: 'De smid smeedt en de bakker kneedt.' Of: 'Ik heb ijzer in mijn bek en een spijker in mijn nek, wie ben ik?' Of ze verzon iets anders stoms waar Bossie en ik om moesten lachen.

Eigenlijk was er niks grappigs aan, want als niemand je taal spreekt en jij begrijpt niemand, moet dat voelen alsof je op de maan rondloopt.

Naar de stapels op de binnenplaats keek ik als naar de zoekplaatjes in de krant. Zoek de tien verschillen.

'De blauwe fiets is weg,' zei ik na een poosje.

Bossie keek om.

'De blauwe fiets?' zei hij.

'Die daar lag,' zei ik, en ik wees naar de plek naast de tandem die er al heel lang stond.

'De oude emmers van de brandweer,' zei Bossie. 'Die zijn nieuw, denk ik.'

'Nieuw geweest,' zei ik.

Geesje blies door haar neus. Ze schudde van boven tot onder met haar lijf, als om al haar ledematen in de plooi te leggen.

'Jullie maken altijd dezelfde grappen,' zei ze zonder haar hoofd op te tillen.

Bossie en ik keken naar elkaar en trokken onze wenkbrauwen op. We hadden Geesje nog niet eerder zo humeurig meegemaakt. We dachten dat het misschien niet goed ging met haar tante.

We zwegen.

De stilte nam veel plaats in beslag, en veel tijd.

Door de Stoofstraat reed de ijscoman. Op het riedeltje dat klanten lokte kon je dansen. Ook toen de wagen allang de straat uit was, zat het liedje nog in mijn hoofd.

De hitte maakte onze wereld klein. Onze ogen vielen haast dicht van de warmte.

De hele tijd bleef Geesje lezen. Net voor de klok van twee uur verlegde ze haar handdoek naar de rand van het dak. Ze ging op haar knieën zitten en gebruikte de muur als lessenaar voor haar boek. Een tijdje zat ze met haar hoofd in haar handen voor zich uit te staren.

We luisterden alle drie naar het luiden van de klokken. Dienggdongedong. Twee keer.

Klokken vertellen nooit alleen hoe laat het is. Klokken zingen. In de zomer kun je eraan horen of de lucht schoon is. Op een ochtend in de winter zou je volgens mij, als je met je ogen dicht luistert, kunnen inschatten hoe dik het heeft gesneeuwd, als het heeft gesneeuwd.

Onze klokken lieten ons verstaan dat we nog vier uur geduld moesten hebben. Vier lange uren vóór Nancy en Jeckyll zouden langskomen.

Jeckyll liep al in mijn hoofd rond. Zijn nagels krasten over de stoep. Nancy zag ik nog niet. Nancy wilde nergens naartoe, ook niet met een wandelstok.

Ik zei tegen Geesje en Bossie dat ik Nancy en Jeckyll miste.

Het galmen van de klokken lekte uit de lucht, alsmaar zachter, tot er nergens nog wat te horen was. Er werd geen enkel geluid meer verplaatst. Het was alsof de aarde een paar seconden stilviel.

Op dat moment, uitgerekend in die stilte, zei Geesje wat ze al de hele tijd had binnengehouden. Ze klapte haar boek dicht, draaide zich om naar Bossie en mij en zei: 'O ja, voor ik het vergeet. Ik heb Nancy gezien.'

Bossie en ik wachtten met ademen.

'Nee,' zei Bossie.

'Toch wel,' zei Geesje.

'Waar?' zei ik.

'In het ziekenhuis.'

'Nee.'

'Wanneer?'

'Gisteravond, toen we in het ziekenhuis aankwamen. We stonden per ongeluk in de verkeerde gang.' Geesje wachtte even voor ze Bossie en mij weer aankeek. 'Toen heb ik haar gezien.'

'En ze leefde nog?' zei ik.

'Ze leefde nog,' zei Geesje.

'Dat zeg je nu pas,' zei Bossie.

'Ja,' zei Geesje. 'Nu pas. Jullie hadden het poe poe te druk en ik heb ook mijn zorgen.'

ZIEKENHUIS

We verzonnen een plan waar we een cadeau voor nodig hadden. Van de vensterbank van Geesjes moeder leenden we een plant in een pot. We deden er groen papier en een strik omheen. We leenden ook geld uit het huishoudpotje en namen bus 34 naar het ziekenhuis.

Geesje wist de weg, maar we kwamen niet verder dan de balie. Een vrouw hield ons tegen. Ze zei dat we drie kinderen waren, en dat we niet alleen naar boven mochten. 'Voor wie komen jullie?'

Geesje zei: 'Voor mijn tante.'

We moesten met z'n drieën met de vrouw meelopen.

Ze maakte geen geluid van zichzelf. Ze liep op pumps en had borsten van beton. De mensen die vanuit de andere richting kwamen, gingen stilletjes voor haar opzij.

Naast een open deur aan het einde van een lange gang op de derde verdieping bleef ze staan. Ze wees zonder binnen te kijken met één hand naar de kamer. Ze zei harder dan nodig, alsof ze het riep naar iemand die slecht hoorde: 'Kijk eens wie er voor u is.'

Uit de kamer kwam geen reactie.

Geesje en Bossie en ik keken het deurgat in en zagen

een lege plek waar normaal gezien het bed stond, met Geesjes tante erin.

'Woe,' deed de vrouw toen ze de lege kamer opmerkte.

Ze keek naar de jas aan de kapstok, naar de spuitbus haarlak en de vaas met verse bloemen op het nachtkastje, naar de wenskaarten aan een lint naast het raam.

Ze deed een stap de kamer in en klopte op de deur van de badkamer. Ze schrok van het donker achter de deur. Met gespreide armen draaide ze zich om.

We zagen haar nadenken. We zagen haar denken: wat moet ik met deze kinderen doen?

Ze trok een pruilmond.

'Wat een pech,' zei ze. 'De mevrouw die ziek is, is bij meneer de dokter om beter te worden.'

We voelden wat ze bedoelde. Zo meteen zou ze ons meenemen naar beneden, we zouden limonade met een rietje krijgen om ons zoet te houden, en daarna zouden we op een stoel naast haar bureau mogen zitten wachten.

Dat was niet onze bedoeling.

We wilden Nancy vinden.

'De mevrouw die ziek is heeft kanker,' zei Geesje. 'Ze is mijn tante en ze wordt niet beter.'

Bossie was een kat die zijn poot op een muis legde. 'Wil je gaan zitten, Geesje?'

Geesje knikte.

'O ja, zitten,' zei ze zuchtend.

Ze liep voor de vrouw met de betonnen borsten langs, de kamer in. Ze liet zich zakken op de enige stoel naast het nachtkastje. De plant in de pot zette ze op haar schoot, zodat ze erachter verdween. Het papier knisperde.

'Geef maar hier,' zei Bossie. Hij pakte de plant van Geesje over en zei dat we het cadeau voor Geesjes tante de allermooiste plek moesten geven, daar op de vensterbank, nee hier op de tafel. Hij zei: 'Een verrassing is leuker als je haar niet meteen opmerkt.'

'Ja,' zei Geesje. De zucht die ze slaakte beefde een beetje, en ik denk dat ze het meende.

Ik was de enige die nog op de gang stond. Ik vouwde mijn handen en keek naar de grond. Ik verwachtte elk moment dat de vrouw zou zeggen: 'En nu meekomen.'

Halverwege de gang pruttelde een koffieautomaat. In een kamer aan de overkant zoog een pomp in en uit, en in een kamer vlakbij siste iets alsof er een fietsband leegliep.

De vrouw zei: 'Zo.'

Ik zei: 'Wel.'

In haar zak piepte iets. Eerst legde ze er haar hand bovenop, ze wilde nog iets tegen ons zeggen, maar toen haalde ze het piepende toestel tevoorschijn en keek ernaar.

Ze deed: 'Woe,' en liep de kamer van Geesjes tante uit. Al na een paar meter kwam ze op haar stappen terug. Ze stak haar vinger op en wees Geesje en Bossie en mij aan. Haar vinger veranderde in een vuist.

'Jullie blijven waar jullie zijn,' zei ze. 'Als jullie stennis maken, zwaait er wat.'

'Ja, mevrouw,' zeiden we.
'Begrepen?'
'Ja, mevrouw,' zeiden we weer.

Ze had zich nog maar net omgedraaid, of Bossie maakte een snorkend geluid. Hij duwde zijn neus dicht tegen het lachen. Hij vroeg aan Geesje wat stennis was.

Ik zei dat stennis het broertje van shitzooi was, en ik wees met mijn duim naar de gang en legde een vinger op mijn lippen. Erg veilig ver weg was de vrouw nog niet en het zag er niet naar uit dat ze van plan was erg veilig ver weg te gaan. Ze kon nog steeds terugkeren om ons dan toch maar mee te nemen.

Vlak bij de lift bleef ze staan en las de kleine lettertjes op een papiertje in haar hand. Daarna was de haast op haar gezicht te lezen. Tot drie keer toe drukte ze op de knop van de lift.

Toen de lift eindelijk kwam en het belletje weerklonk, kon ze haast niet wachten tot alle mensen waren uitgestapt. Van ergernis legde ze haar hand over haar ogen.

Pieng, klonk het eindelijk in de gang.

Ik knikte naar Geesje.

'De kust is veilig,' zei ik. 'Pak de plant.'

DRIEHONDERDTWINTIG

'Pak de plant,' zei Geesje tegen Bossie. 'We moeten naar de andere kant.'

'En je tante?' zei ik.

'Schiet op.'

We wilden alle drie de pot met de plant vasthouden. We lieten niet los. We waren blij dat we zo dicht bij elkaar konden blijven.

Eerst schoven we te voorzichtig de gang van de andere vleugel in.

'Zo komen we er nooit,' fluisterde Bossie.

Ik wees naar de zoemende lamp boven ons hoofd. Alle lampen brandden op halve kracht, ook die verderop in de gang. Ik begreep dat er in de kamers mensen lagen die niet veel licht verdroegen.

'Zo meteen vragen ze ons wat we hier doen,' zei Bossie. 'Loop door.'

Hij stelde voor dat hij de kamernummers hardop zou voorlezen en de maat van onze stappen zou aangeven. We moesten kordaat overkomen.

'Goed,' zei Geesje.

Daar gingen we.

'Driehonderd en drie,' zei Bossie.

Ik hoorde het belletje van de lift achter ons.

Pieng.

Ik hield mijn pas in, alsof ik onverwachts tegen de wind in moest lopen, en ik durfde niet om te kijken.

Misschien had de vrouw met de betonnen borsten zich ter hoogte van de eerste verdieping bedacht. Misschien had ze een nieuw bericht gekregen: de kinderen op wie u moest letten zijn ontsnapt. Ze zou ons bij de kraag grijpen. Waarschijnlijk zou ze ons alle drie onder één oksel gooien en meepakken naar beneden. Voor straf zouden we geen limonade krijgen.

'Driehonderd en vier.'

Alleen al door aan haar meppende hand te dénken, kreeg ik blauwe billen.

'Driehonderd en vijf,' zei Bossie.

Ik zocht afleiding door binnen te kijken in kamer 305. Er zaten twee kleine, oude mannetjes tegenover elkaar. Tussen hen in stond hun eten, maar ze raakten het niet aan.

In kamer 306 zag ik een grote vrouw in een rolstoel. Haar lichaam hield ze stijf als een plank, maar de rest hing: haar mond hing open, haar tong hing naar buiten, haar hoofd hing naar achteren.

Er was ook een kamer met een bed waarin iemand met riemen was vastgegespt, en in 308 waren de rolluiken neergelaten en zat iemand tegen zichzelf te praten.

Ik zei: 'Ik krijg geen lucht.'

'Laat de pot los,' zei Geesje. 'Dan kun je ademen.'

Ze wachtten met z'n tweeën tot ik een paar keer diep in- en uitgeademd had.

Geesje knikte. 'Ik schrok ook, gisteren,' zei ze.

Bossie wees met zijn hoofd naar de gang voor ons.

'Wordt het verderop erger?'

'Nee,' zei Geesje. 'Maar ik kan ook niet zeggen dat het minder erg wordt.'

Ik hield me aan de pot vast. Ik legde mijn handen vlak bij die van Bossie en kneep mijn ogen dicht.

Geesje grinnikte. 'Wat zei jij een paar dagen geleden ook weer?' zei ze tegen me. 'Dat je geen mensen van tachtig kent?'

Er kwamen schone geuren op me af. Zeep en parfum en zalf waar ze pepermunt in hadden vermengd. Er waren ook geuren die zuur geworden waren van het lange liggen. Oud zweet, oud bloed, oude plas.

'Doorzetten,' zei Geesje. 'We zijn er bijna.'

'Driehonderd en zestien,' zei Bossie.

Ik gluurde tussen mijn wimpers door. In een breed deurgat stond een dunne man in een gestreepte pyjama. Op een stoel zat jong bezoek verdrietig te zijn bij een oude vrouw die zo te zien al vele jaren sliep.

In 319 zag ik een erg verschrompeld vrouwtje. Ze was zo krom dat ze met haar kin het tafelblad raakte. Ze at puree met spinazie, en net toen we aan haar deur voorbij kwamen, stak ze haar lepel door de achterkant van haar keel. Dat was niet echt zo, maar het zag er zo uit.

'Hier is het,' zei Geesje een tel later.

We stonden voor de open deur van 320 en lieten de

plant tussen ons in op de grond zakken. Het vreemde was dat we ons met z'n drieën tegelijk bedachten en de plant weer optilden, zonder dat we er iets over zeiden. In de kamer verstopte het licht zich onder de bedden terwijl we ernaar keken. Het beetje licht dat we overhielden kwam van de geboende vloer en de muren af, en het rook er naar iets wat ik niet kon benoemen.

Bossie zei: 'Het stinkt hier naar motorolie.'

'Motorolie?' zei ik.

'Ja, motorolie.'

We gingen dichter bij het deurgat staan, maar naar binnen stappen durfden we niet. Onze ogen moesten wennen aan het donker.

Ineens zagen we een gestalte bij het bed staan.

Geesje liet haar hand van haar borst af naar voren vallen, en wees Nancy Sinatra aan.

Ze zei: 'Kijk eens.'

Uit onze keel kwam een geluidje.

Nancy was klein en gebocheld, zoals we haar kenden, en ze leunde op een looprek. Het looprek hadden we nog nooit bij haar gezien. Verder was er niks veranderd. Haar haren waren niet gekamd. Ze had laarzen aan, als gewoonlijk. Het waren niet de laarzen die ze op straat droeg, maar bruine, plompe. Ze zou er niet mee tot in Novosibirsk komen. Ze stonden potsierlijk onder haar nachthemd.

Alle drie wilden we het liefst de gordijnen opengooien. We kregen het koud van het donker daarbinnen.

'Goeiemiddag,' zei Bossie.

'Goeiemiddag, Nancy,' zei Geesje.

Het was gek om Geesje hardop 'Nancy' te horen zeggen. Het was ook gek om ineens te beseffen dat we na al die tijd nog niet wisten hoe Nancy echt heette.

Ze antwoordde ook niet. Ik zou ook niet antwoorden als ze me zouden aanspreken met een naam die niet de mijne is.

Ze verzette het looprek, draaide haar voeten, en herhaalde die handeling een paar keer, tot ze naar ons toegekeerd stond. Ze had er veel tijd voor nodig.

We bleven buiten op de gang staan aarzelen, hielden de plant met zes handen vast en wachtten op het moment dat Nancy in het licht zou verschijnen.

Plotseling zei Geesje: 'O.'

Bossie zei: 'Nee.'

En ik zei: 'Man man man.'

Dat was het dichtst bij de waarheid.

De persoon in de kamer kwam langzaam van zijn plek af, boog zich voorover, naar het licht van de gang toe, en joeg ons de stuipen op het lijf. Hij leunde naar voren op zijn looprek, en liet ons niet los met zijn blik. Hij maakte een grimas, kauwde op zijn tong, krabde in een baard van dagen.

'Kom,' zei ik.

Langzaam, maar echt heel langzaam, deinsden we achteruit, met de plant in de pot tussen ons in. We verdwenen eronder en erachter.

Bossie zei kordaat: 'We gaan.' Hij nam de plant met een draaiende beweging van zijn lichaam van Geesje en mij over. We sputterden niet tegen. We draaiden met hem mee in de richting van de lift, en keken net als hij nog één keer om.

Vanuit het deurgat van kamer 320 stond de man ons na te kijken. Afgezien van de laarzen leek hij niet, maar dan ook helemaal niet op Nancy.

Toen de deuren van de volle lift dichtgingen, deed een vrouw voor de grap: 'Pieng!'

De hele lift lachte. We werden aangestoten, we moesten meelachen, maar we deden het niet.

BLIND

Bossie en ik hadden niet afgesproken dat we Geesje eens flink zouden pesten met haar loensende oog, maar het ging vanzelf.

We begonnen per ongeluk, toen ze bij het instappen de tree van de bus miste en met haar gezicht tegen de deur viel.

Ik zei: 'Kijk uit, Geesje,' en Bossie zei: 'Geesje moet een bril,' en daarna bleven onze grappen komen.

Geesje had, afgezien van het loensen, geen slechte ogen.

We bleven doen alsof ze heel slecht zag – en wij ook. We noemden haar meneer Sinatra. We noemden haar jongen eh nee meisje. We noemden haar Gijsje eh nee Geesje. We vroegen aan haar: 'Meneer, heeft u een meisje met kort haar gezien, een beetje rossig?' We deden alsof we haar nergens meer zagen, terwijl ze voor ons zat. We schrokken en zeiden: 'Geesje, heb je je baard afgeschoren?' En lachen dat we deden.

'Baby's,' antwoordde Geesje.

'Wij, baby's?' zei Bossie. 'Zie je wel dat je niet goed ziet?'

Op één vergissing kun je eindeloos variëren. Van fouten heb je veel soorten. Je kunt goede ogen hebben die niet goed kijken, en je kunt slechte ogen hebben die niet goed zien.

We gingen maar door. We vroegen of Geesje wel eens blindevinken had gegeten, of was ze daar te kippig voor, of zag ze scheel van de honger. Kende ze dat krantenbericht over die man die in de oorlog door een granaat was geraakt en blind was geworden, maar nu met zijn tong kon zien?

Onze grapjes waren flauw, onze opmerkingen waren slap en nu en dan echt gemeen, maar we lagen dubbel van het lachen, knepen tussen onze benen omdat we het anders in onze broek deden.

Al die tijd keek Geesje naar buiten en deed alsof ze ons niet hoorde.

We zagen de dikke glans in haar ogen niet. We reden lange lanen door, langs huizen die Siamese tweelingen waren, en de hele weg lang gaf ze geen kik.

Juist op die kik zaten we te wachten. We bedelden er haast om.

We stopten bij een halte in een straat die we niet kenden. Het was een straat met aan weerskanten grote, identieke rijtjeshuizen.

Ik zei: 'O, kijk eens, ik zie dubbel.'

En dat was de druppel die de emmer deed overlopen.

Net voor de deuren van de bus sissend dichtgingen, sprong Geesje overeind en schoot behendig tussen de deuren door, hup naar buiten. Ze stond op de stoep vóór we iets konden zeggen, en Bossie en ik konden haar zelfs niet nakijken, want de bus reed al de weg op. We gingen op de toppen van onze tenen staan om een glimp van haar op te vangen, maar de chauffeur brulde naar achteren dat we moesten gaan zitten want dat we er anders uit vlogen.

Bossie en ik kwamen naast elkaar op de bank terecht. Het was afgelopen met de stennis, het broertje van shitzooi.

'Jouw schuld,' zei Bossie tegen mij.

'Hoho,' zei ik, en ik meende het. 'Onze schuld.'

We zaten op de blauwe billen die we verdienden.

Voor mij was de weddenschap van het ene op het andere moment onbelangrijk geworden. De rest van de middag zagen we Geesje niet meer.

Ik keek naar haar uit vanaf de muur om OUD IJZER CV, ik hoopte dat ze na het vieruurtje toch nog zou opduiken, of anders net voor zessen, ik vond altijd wel een reden om extra naar haar uit te kijken, maar nee: ze kwam niet.

Geesje was in een plant veranderd, met groen papier en een strik eromheen. De plant stond tussen Bossie en mij in op het dak. Het woordje sorry lag op onze lippen, of in elk geval op de mijne.

Na zessen gingen we bij haar thuis langs om de plant terug te brengen en het woordje sorry hardop uit te spreken.

Ik hoopte Geesje te zien, maar ze liet ons gaar koken in ons eigen sop.

Geesjes moeder deed de tuindeur open. Ze beschermde haar ogen tegen het felle zonlicht. Ze had oranje, rubberen handschoenen aan en hield de deur op een kier. Ze groette afgemeten: 'Jongens,' en keek heel ernstig. Ze zei dat ze de plant weer op zijn plek zou terugzetten.

'Ja, dank je.'

We hoefden niks uit te leggen, ze wist waar de plant was geweest en wat hij had meegemaakt. Ze voegde er snel aan toe dat ze geen tijd voor ons had, en Geesje ook niet.

'Bedankt,' zei ze, en het klonk een beetje alsof ze een klapje tegen ons achterhoofd gaf.

Ze deed de tuindeur met haar elleboog dicht. Daarna sloot ze ons nog een tweede keer buiten door het gordijn voor het raam te schuiven, zodat we niet meer naar binnen konden kijken.

'Ik denk dat ik Geesje op de bank heb zien liggen,' zei ik tegen Bossie. 'Ik denk dat ik haar heb zien liggen.'

'Was het haar vader niet?' zei Bossie. 'Had ze een snor?'

'Flauw,' zei ik.

Bossie blies lucht tussen zijn lippen door.

'Flauw? Eerst neemt ze ons mee naar het kerkhof waar ze meneer Geboers en een hortensia gaan begraven, en daarna laat ze ons een man met een baard zien die over een looprek hangt en zijn eigen tong staat op te eten. En ze zegt niet eens: sorry voor het gedoe.'

Er ging een schok door mijn lijf toen ik Bossie het woord gedoe hoorde gebruiken.

'Eerlijk,' zei ik. 'Volgens mij ben je tot hiertoe maar al te blij geweest met haar gedoe. Zij zorgt voor afleiding.'

Mama was toen al acht weken in Italië, en we hadden nog maar drie keer iets van haar gehoord.

Op weg naar huis stapte ik door. In de Pomonastraat liep ik al ongeveer twintig meter voor Bossie uit.

Na het eten verdween ik meteen van tafel.

'Ik moet mijn eten verteren,' zei ik.

'Hebben jullie ruzie?' hoorde ik papa zeggen toen ik de trap op liep.

'Nee, waarom?' zei Bossie.

Voor het slapengaan ging ik met mijn pyjama aan naast hem in de badkamer staan. Ik zei dat hij beter moest nadenken voor hij lelijke opmerkingen maakte over Geesje. Ze was onze vriendin.

Bossie hield op met tandenpoetsen en keek mij vanuit de spiegel aan.

'Waar heb je het over?' zei hij met zijn lippen van wit schuim.

HEMEL

Midden in de nacht zei Bossie dat er geen plaats voor me was in zijn bed.

Ik was net het vloerkleed overgestoken en durfde niet om te kijken of terug te keren. Er was altijd een kans dat ik in het holst van de nacht zou terechtkomen. Dat was dat ene moment waarop de voorbije dag niet meer bestond en de volgende dag nog niet was begonnen. Geen idee hoe ik dat wist, geen idee of het waar was, maar ik kon maar beter geen risico nemen.

'Er is wel plaats,' zei ik. 'Hier.' Ik duwde en wrong tot ik genoeg plaats had. Mijn billen hingen over de rand, maar ik lag.

Ik zei dat ik over de heel oude mensen had gedroomd, en nu aan niks anders meer kon denken dan aan wat ik in het ziekenhuis had gezien. Aan de vrouw in de rolstoel, aan de mannetjes aan de tafel, aan de vrouw die haar lepel met puree door haar keel heen stak.

'Met zulke gedachten kan ik niet slapen.'

'Zoek dan andere,' zei Bossie met zijn rug naar me toe. 'Prettige. Verf onze kamer blauw. Doe alsof je in melk drijft. Vraag je af hoe het komt dat er in Japan een koe uit de hemel is gevallen.'

'Is er in Japan een koe uit de hemel gevallen?'

'Ik geef maar een voorbeeld,' zei Bossie.

Zijn rug gloeide tegen mijn arm aan.

'Jij denkt dat je bang zijn zomaar kunt vergeten,' zei ik.

'Ja,' zei Bossie. 'Het is een kwestie van oefenen. Ik zou je met een raket naar de maan moeten schieten, voor een wandeling.'

Hij wist wat hij zei.

Er waren maar weinig gedachten die ik niet verdroeg. De ene was het holst van de nacht, de andere was de gedachte aan de astronaut die per ongeluk loskwam van de ruimtecapsule en tussen de sterren verdween.

Ik wist dat ik er goed aan deed te zwijgen. Als Bossie bloed proefde, beet hij door.

Hij schikte een eindje op, niet om me ruimte te geven, maar om me niet te hoeven aanraken. 'Als ik op de fiets zit, spring jij achterop. Als ik ergens heen ga, kom je me achterna.'

'Dat is wat broers doen,' zei ik.

'Probeer eens wat minder broer te zijn dan.'

Het bleef een paar minuten stil.

Ik schoof voorzichtig naar Bossie toe. Ik fluisterde: 'Kom. We moeten slapen.'

'Moeten?' zei hij.

'Ja,' zei ik. 'We moeten oppassen dat we niet doodgaan van de eh... moewigheid.'

Het bed schudde omdat Bossie grinnikte.

Ik durfde een verhaal aan hem te vragen – om aan

iets anders te kunnen denken.

'Het mag kort zijn,' zei ik.

Bossie aarzelde lang, ik hoorde het aan zijn adem.

Hij zei: 'Heb ik je al eens over de Pitts S2B verteld?'

'De Pitts S2B?'

'Een vliegtuig.' Hij draaide zijn hoofd, zodat ik zijn stem beter kon horen. 'Een vliegtuigje, eigenlijk. Er kunnen maar twee mensen in. De piloot zit achterin, de passagier zit voorin. Dat maakt niks uit. Als het ding neerstort, zit je met z'n tweeën zo onder de grond.'

Bossie ging op zijn rug liggen.

Ik deed mijn ogen dicht.

'Er stortte eens een Pitts S2B neer in Panama. Ze reden er met twee ziekenwagens naartoe. Ze hadden geen haast, want er was toch geen hoop. Toen ze ter plekke kwamen, vonden ze de dode piloot. Alleen de dode piloot. Daar stonden de verplegers met een draagberrie tussen ze in. Ze keken om zich heen, of de passagier misschien uit het toestel was geslingerd. Ze keken of er ergens een parachute in een boom hing. Na een paar minuten kregen ze goed nieuws. De passagier was gevonden. Hij leefde nog. Hij zat een glas water te drinken in de cafetaria van het vliegveld. Hij had een aspirientje geslikt tegen de hoofdpijn. Juist door die hoofdpijn had hij beslist dat hij toch maar niet mee wilde vliegen. Ga maar, had hij tegen de piloot gezegd. Ga maar, ik heb hoofdpijn.'

Bossie lachte zachtjes. 'Is dat geen goed verhaal?' zei hij. 'Je hebt verschrikkelijke hoofdpijn en je gaat niet dood.'

'Ja,' fluisterde ik. 'Is het echt gebeurd?'

Ik hoorde Bossie iets mompelen terwijl hij zich weer op zijn zij draaide, van me weg.

'Is het echt gebeurd? Bossie?'

Mijn broer ademde diep in en diep uit. Bij het uitademen pruttelde hij.

Het verhaal van de koe die uit de lucht viel had ik prettiger gevonden, bedacht ik. Hoe hadden ze dat beest eerst in de lucht gekregen?

Bossies lichaam werd zwaar als een lijk. Zijn gepruttel veranderde in snurken en fluiten. Er was erg veel plaats in zijn longen.

Om maar niet aan de Pitts S2B te hoeven denken, zette ik hijskranen om het bed heen. Er liepen mannen met veiligheidshelmen af en aan. Ik liet ze Japans spreken en begreep alles wat ze zeiden. Ik hoorde ze in het Japans zeggen: 'Langzaam omhoog met die koe, zachtjes, zachtjes, omhoog met die koe.'

OCHTEND

'Met wie heb je zo vroeg afgesproken?' vroeg papa aan me. Hij keek me over de ontbijttafel heen aan. Hij controleerde of ik wel kauwde en slikte.

'Met Geesje,' zei ik. 'Dat heb ik al gezegd.'

Ik zat met één bil op mijn stoel. Mijn been wees in de richting van de deur en mijn kin wees in de richting van de klok boven de deur. In gedachten stond ik al buiten. Ik zei: 'Ik ben bijna te laat.'

'Ga je zonder Bossie de deur uit?' zei hij.

'Ja,' zei ik.

'Hebben jullie ruzie?'

'Nee,' zei ik.

Het was de zoveelste keer dat hij dat wilde weten, en het was zijn zoveelste vraag op rij. Het werd gevaarlijk. Hij zag aan mijn ogen dat ik ergens over zat te liegen, maar naar de waarheid vroeg hij niet. Hij zei dat hij het heel jammer zou vinden als Bossie en ik ruzie zouden krijgen over iets stoms, want er was niks ergers dan ruzie over iets stoms.

'Of toch,' zei hij. 'Jongens die liegen tegen hun vader. Dat is ook heel erg.'

Die manier van aanpakken kende ik. Papa wist dat die

aanpak werkte, als hij volhield.

Ik duwde mijn bord van me af en probeerde niet aan het knellende gevoel in mijn borst te denken.

Ik zei: 'Ik moet gaan.'

'Dan moet je rennen,' zei hij. 'Dag jongen.'

'Dag papa,' zei ik.

Kauwend op de laatste hap brood sloeg ik de deur achter me dicht. Ik liep het tuinpad af. Op het punt waar ik wist dat hij me nog kon zien draaide ik me om.

Hij maakte draaibewegingen met zijn handen. Ik moest me haasten, bedoelde hij. Was ik niet al bijna te laat?

SPIJT

Bij Geesje thuis stond de deur wijd open. De voorkant van het huis baadde in de zon. Geesjes moeder schrobde de hal. Ze had haar oranje, rubberen handschoenen van gisteren nog aan, en verder zag ze er als altijd uit alsof ze zo meteen naar een feest zou vertrekken.

Aan haar voeten dampte een emmer. De damp stonk naar bloemen die niet bestonden.

'Goeiemorgen,' zei ik.

Ik kreeg geen goeiemorgen terug.

Omdat ik mijn schoenen droog wilde houden, bleef ik bij het tuinhek staan.

Geesjes moeder schoof sop het trappetje voor de deur af.

Ze keek niet op, maar ik dacht dat ik haar hoorde zeggen: 'Dag Oskar.'

'Is Geesje thuis?' zei ik.

Ik keek naar het sop dat langzaam over het tuinpad naar de straat liep. Ik bereidde voor wat ik wilde vertellen: dat ik om geen tijd te verliezen vroeg was opgestaan. Ik kwam nu langs om het goed te maken met Geesje, en nee, het kon niet wachten.

Ik wilde net aan mijn uitleg beginnen, toen Geesjes

moeder naar me omkeek. Ze droeg een zonnebril, zag ik.

Ze rekte de spieren om haar mond uit. Het moest er als glimlachen uitzien, maar haar mondhoeken trokken naar beneden. Ze was nog steeds boos op me. Bozer dan gisteren zelfs.

Ze hield op met haar werk en leunde losjes op de bezemsteel.

'Ik denk niet dat je Geesje vandaag zult zien, Oskar.' Haar stem beefde. Ze kuchte eens.

Ik richtte mijn blik naar de grond.

'Ze heeft de hele nacht tussen mij en Bert in wakker gelegen. Ze heeft heel veel gehuild.'

'De hele nacht?' zei ik, terwijl ik een stapje dichterbij zette.

'Ja,' zei Geesjes moeder. Ze pakte de borstel weer met haar beide handen vast en wilde doorgaan met schrobben. 'De hele nacht. Ik lieg niet. Ik was erbij.'

In mijn hoofd speelde de film van gisteren opnieuw. Ik ging na of Bossie en ik het dan zo bont hadden gemaakt op de bus. Waren we veel te ver gegaan met onze grappen?

'Ach,' zei Geesjes moeder, alsof het allemaal niet belangrijk was. Ze trok haar schouders op.

Ik volgde een klodder stof die onder me door gleed. Met mijn ogen ging ik een duivenveer achterna. Ik volgde een lieveheersbeestje dat een eind meedreef, maar daarna strandde.

'Wilt u tegen haar zeggen dat het me spijt?' zei ik.

Geesjes moeder knikte. 'Ik zal haar sterkte wensen.'

'Sterkte,' zei ik.

'Ja.' Geesjes moeder leek even te grinniken, maar ik geloofde niet dat het echt grinniken was.

Ik dacht aan verschillende dingen tegelijk. Aan: schoonmaken. Aan: Bossie zou hier moeten zijn. Aan: waarom moet ik altijd de klappen opvangen?

Ik zei: 'Waar is Geesje dan nu?'

'Wat zeg je?'

Ik schraapte mijn keel en hoopte dat ik het nog eens zou kunnen herhalen, want mijn stem was dun.

Ik zei: 'Waar is Geesje nu?'

De vloer van de hal was nog nooit zo zorgvuldig geschrobd. Alle hoeken, alle voegen, alle plekken waar een borstel graag komt.

'Ze is met haar vader mee,' zei Geesjes moeder na een tijdje. 'Er moet van alles gedaan worden.'

'Natuurlijk,' zei ik.

Ik dacht na, voelde mijn mond opengaan om iets te vragen, maar er zat een prop in mijn keel. Een prop van stof en een duivenveer en een lieveheersbeestje.

Ik hoestte eens.

'Wanneer zie ik haar terug?'

Geesjes moeder veegde met de rug van haar hand een lok uit haar gezicht. Het rubber van haar handschoen piepte.

Een tijdlang stond al het sop stil. Er gulpte niks over de drempel. Er liep niks tussen mijn voeten door.

Ik verwachtte dat het antwoord van Geesjes moeder

niet mis te verstaan zou zijn. Dat ze zou zeggen: 'Geesje wil jullie eigenlijk nooit meer zien, maar misschien zal ze jullie kunnen vergeven. Misschien zal ze alles in de zomer van volgend jaar vergeten zijn, en nu je dat weet wil ik dat je ophoepelt, dan kan ik verder met mijn werk.'

'Misschien morgen al?' zei Geesjes moeder. Ze hield haar adem in om haar woorden meer gewicht te geven. 'Misschien overmorgen.' Ze voegde eraan toe dat ik zelf moest beslissen wanneer ik haar wilde terugzien. 'Je kunt maar beter extra lief voor haar zijn, als je haar ziet.'

Ik knikte. Het was nog nooit bij me opgekomen om een buiging voor Geesjes moeder te maken. Daar in de voortuin deed ik dat ineens. Ik dacht er niet bij na. Ik boog diep, alsof ze een koningin was met haar zonnebril en haar oranje handschoenen en haar zwarte jurkje onder haar schort.

'Ik zal eraan denken,' zei ik. 'Dank u.' Ik wachtte of ze nog iets tegen me ging zeggen, maar er kwam niks.

Ik schuifelde achterwaarts naar het tuinhek, draaide me om, maakte het hek met gebogen hoofd achter me dicht. Een paar stappen verder gluurde ik eens over mijn schouder, en wat ik dacht was waar: Geesjes moeder stond op de bovenste tree van het trappetje naar me te kijken. Ze had haar zonnebril boven op haar hoofd geschoven en hield een hand op haar keel. Ze riep me na.

'De begrafenis is zaterdag! Zeg het tegen je vader!'

Het was alsof ze een emmer sop leeggooide in mijn richting. Ik herhaalde de woorden in mijn hoofd, ik moest ze een paar keer herhalen voor ik ze begreep, en toen was het te laat om opzij te springen, het nieuws van Geesjes dode tante raakte me vol in mijn gezicht.

'O,' kon ik nog uitbrengen.

De hele weg naar huis mompelde ik: 'O.'

Niemand hoorde me, omdat ik het tegen de grond zei.

Naast papa's bord lagen een potlood en een stuk papier waarop hij een boodschappenlijstje was begonnen. Onder de woordjes prei en vlees en bittere chocolade stond in grote letters DOEN, en daaronder: boeken kaften. Hij was niet ver gekomen met het opsommen, omdat de krant hem had afgeleid.

Papa las alleen de grote stukken, omdat hij ze zelf ook schreef.

Als er ergens een baby met twee harten was geboren, had hij dat bericht niet gelezen. Als er ergens een man vier uur lang tussen twee gebouwen gekoorddanst had – op zijn blote voeten – wist hij nergens van.

Ik vertelde hem eens over een vrouw die in haar slaap haar eigen vinger had afgebeten. Bossie had me op dat krantenbericht gewezen. Papa klapte niet in zijn handen van verbazing toen hij het verhaal hoorde. Hij ging tekeer tegen mijn broer, of hij niks belangrijkers te lezen had gevonden, en hij ging tekeer tegen mij, dat ik zulke onbenulligheden nog doorvertelde ook.

Toen ik binnenkwam, keek hij naar me over de rand van zijn bril, maar ging meteen door met lezen.

Ik moest tegenover hem gaan zitten voor het tot hem

doordrong dat ik niet lang weg was geweest. De tijd van een half boodschappenlijstje en een half krantenstuk waar de krant geen foto's bij gevonden had.

Hij keek naar de klok en legde zijn bril op tafel.

'Waar is Geesje?'

Mijn ogen prikten. Ik hoorde de borstel van Geesjes moeder door mijn gedachten schrobben. Ik zag het nieuws van de dode tante nog eens op me af komen.

Ik zei: 'Met haar papa mee.'

De beker en het bord die voor Bossie klaarstonden zette papa voor mijn neus neer. Hij pakte de kan met melk en schonk de beker vol.

'Drink,' zei hij. 'Smeer een boterham.'

Ik schoof mijn stoel dichterbij, maar raakte het bord niet aan.

Ik wilde dat papa doorging met lezen.

Dat deed hij niet. Hij plantte zijn ellebogen op de tafelrand en maakte van zijn handen een tentje waar hij overheen bleef kijken. Hij las mijn gezicht.

'Ik dacht dat je met haar had afgesproken?' zei hij.

'Had ik ook, had ik ook,' zei ik.

'En nu was ze er niet, was ze er niet?'

Op mijn lippen lag het verhaal van de voorbije dagen. Ik wilde vertellen over Nancy en Jeckyll en het spel dat we aan het spelen waren: wie er het eerst zou doodgaan. Ik wilde vragen of je gestraft kon worden voor zulke spelletjes, want kijk: Geesjes tante was doodgegaan.

Ik wilde iets zeggen over de piloot die op slag dood was en over de passagier die het had overleefd omdat hij hoofdpijn kreeg. Ik wilde de ziekenhuisgang beschrijven met de heel oude mensen die niet veel licht verdroegen.

Maar ik zweeg. Bij papa viel ik altijd snel stil.

Ik verzamelde in mijn eentje herinneringen aan gebeurtenissen zonder hem. Als het zo doorging, bedacht ik, zou ik een astronaut worden die op een dag van hem losraakte en in het heelal verdween.

Niks wat ik wilde vertellen was belangrijk genoeg. Was het baby'tje met de twee harten belangrijker dan de vrouw die haar eigen vinger had afgebeten, dan de koorddanser, dan de koe in Japan, dan Nancy en Jeckyll, dan Geesje die de hele nacht had liggen huilen?

Zou papa me na twee woorden al de mond snoeren? Zou hij zeggen: 'Ja, en toen?'

Ik rechtte mijn rug.

'Papa,' zei ik. 'Ik ga iets vertellen.'

Papa trok zijn wenkbrauwen op.

'Je moet me laten uitspreken,' zei ik.

Hij stak twee vingers omhoog. 'Ik zweer het.'

Ik zei dat Geesje boos was op ons. Of nee: Geesje was boos geweest op ons. Ik vertelde dat ze de hele nacht had gehuild in het bed van haar moeder en haar vader, en dat ik eerst dacht dat ze om ons had gehuild, maar dat was niet zo, ze huilde om haar tante. Ik was boos op Bossie omdat hij deed alsof we Geesje konden vervangen. We hadden een meisje gezien dat we nooit eerder hadden gezien, een meisje dat Geesje niet kon vervangen. Ik zei: 'Alles loopt mis. Gisteren is Geesjes tante doodgegaan.

Ik moet van Geesjes moeder zeggen dat de begrafenis zaterdag is.'

Papa zakte tegen de leuning van zijn stoel aan en keek naar me.

Het was zo stil in de keuken dat ik het tikken van de klok boven de deur kon horen, en die tikte bijna niet.

'Oskar,' zei hij, en hij boog naar voren om zijn grote hand boven op de mijne te leggen. 'Wacht even.'

Hij stond op. Hij frommelde de krant ineen en stopte hem onder zijn arm. Hij pakte het potlood en het boodschappenlijstje, zijn bril, zijn bord, stapelde er de smeltkaas en het broodmandje met een pot yoghurt bovenop, pakte ook nog de botervloot en het roggebrood, en bracht alles naar het aanrecht.

Daar haalde hij de stapel weer uit elkaar.

Ik hield me vast aan mijn beker melk. Ik keek over de lege tafel heen naar papa's gebogen rug.

Ik hoopte dat hij niet zou overgaan tot de orde van de dag, zoals hij het zelf noemde. Als hij overging tot de orde van de dag, veranderde hij in een schrijver en dan deed hij alsof hij er nog wel was, maar zijn ogen waren al ergens anders: ze keken naar zijn binnenkant.

Ik wilde dat hij aan tafel kwam zitten en iets op zijn papa's tegen me zei.

Ik wachtte, zoals hij me had gevraagd, maar zijn gebogen rug bleef zijn gebogen rug. Hij steunde met twee handen op het aanrecht. Zijn hoofd hing.

Ik ging naast hem staan om hem aan mij te herinneren. Omdat hij maar niet reageerde, omhelsde ik zijn arm.

Hij trok me zachtjes tegen zich aan en kneep een beetje in me. Hij zei dat hij aan mijn schouders kon voelen dat ik me veel zorgen maakte.

'Je moet geen verdriet hebben in de plaats van iemand anders,' zei hij. 'Dat is lief, maar dat is ook lastig.'

Papa zweeg even. Hij moest zelf nadenken over wat hij had gezegd.

Ik hoorde hem een paar keer diep ademhalen.

Toen draaide hij zich naar me toe en legde zijn handen op mijn bovenarmen, alsof ik uit twee delen bestond die hij bij elkaar moest houden.

Voor het eerst sinds lange tijd zei hij iets over mama. We praatten niet veel over haar. Hij zei: 'Je moet geduld hebben. Mama is langzaam. Onthou wat er in de brief van twee weken geleden stond: ze is bijna klaar met het opruimen van haar hart en haar hoofd.'

'De wirwar,' zei ik.

'De wirwar,' zei papa.

Ik dacht aan de brief van twee weken geleden. Het was de derde die we hadden gekregen. Alle drie had ik al meer dan een week niet gezien. Als ik er iets over zei tegen Bossie, haalde hij zijn schouders op en zei: 'Ze moeten ergens zijn,' en dan keek hij me aan alsof ik ze had zoekgemaakt.

Papa tilde zijn armen op, om me te laten kiezen tussen blijven of weggaan.

Ik bleef. Ik zette een stap naar voren en boorde mijn neus in zijn buik, waar het zacht was.

Hij legde zijn hand op mijn hoofd en aaide mijn gedachten.

Ik weet niet hoe lang we daar stonden. Ik weet alleen dat ik schrok van zijn stem toen hij zei: 'Moeten jouw schoolboeken niet dringend gekaft worden?'

Ik keek naar hem op. 'Kunnen we dat niet morgen doen? Als het regent?'

Zijn vinger tikte op het weerbericht in de krant.

'Morgen gaat het niet regenen.'

Naast de weerkaart riep een kop: *Wat was dat een zachte zomer!*

'Overmorgen dan,' zei ik.

'Dat is een goed plan. Beter nog: we gaan ze vrijdagochtend kaften, net voor de schoolbus komt.'

Ik keek papa aan. Ik wilde zien wat zijn grap met zijn gezicht deed.

Van de lichtjes in zijn ogen werd ik blij.

'Zullen we samen boodschappen doen?' zei hij. 'Prei en vlees en nog het een en ander?'

'Bittere chocolade,' zei ik, en ik noemde een paar dingen op die hij lekker vond en een paar dingen die ik lekker vond en pakte twee plastic tassen uit de voorraadkast.

Ik vroeg of we niet op Bossie moesten wachten.

'Bossie slaapt uit. En ik ga niet met jullie boodschappen doen, maar met jou.'

Toen we in de winkel onze volle manden bij de kassa hadden uitgeladen en betaalden, hield hij wat munten en een bankbiljet over.

Hij zei: 'Hier.'

Ik schrok.

Hij gaf me het gladde, schone briefje en tilde me even

van de grond. Hij zei tegen de mevrouw achter de kassa: 'Oskar wordt groot.'

'Groot, ja,' zei de vrouw tegen me. 'En rijk.'

Ik hield het briefje voor me, ik rook eraan, het kraakte van nieuwigheid, ik vouwde het heel precies twee keer dubbel en propte het in het kleinste zakje van mijn broek.

STENNIS

Bossies hart sliep nog. Zijn ogen waren klein. Hij bleef in het deurgat naar de keuken staan en snuffelde aan de lucht. Hij keek van de lege ontbijttafel naar papa. Daarna keek hij naar mij.

Ik zag zijn humeur veranderen.

'Krijg ik geen ontbijt?' zei hij.

'Bedoel je avondeten?' zei papa. Hij knikte naar de klok boven de deur en voegde eraan toe dat Bossie een gat in de dag had geslapen.

Dat was overdreven. Het was nog geen half elf.

'Voor kinderen begint de dag 's ochtends.'

Papa en ik waren klaar met het wegzetten van de boodschappen en vouwden de lege tassen op.

'Dat hebben we goed gedaan,' zeiden we.

Het stak Bossie dat we het woordje we gebruikten.

Toen Bossie en ik een kwartier later in Ons Clubhuis aankwamen, gooide hij zijn benen over de muur en zette zijn voeten aan de kant van het dak luidruchtig neer.

'Schik eens een kilometer op,' zei hij. Het was het eerste wat hij zei sinds we van huis waren gegaan.

Ik keek naar hem. Ik zei: 'Heb je dan plaats genoeg voor je rothumeur?'

Hij reageerde niet.

Ik liet hem eerst de binnenkant van mijn ene hand zien en daarna de binnenkant van mijn andere hand. De dingen waren zo eenvoudig als rechts en links. 'Papa en ik hebben boodschappen gedaan. Jij bent opgestaan.'

Bijna voegde ik er het nieuws van Geesjes tante aan toe, maar ik kon mijn tong wel afbijten. Ik had ook kunnen beginnen over het geld dat ik van papa had gekregen. Het krakende briefje zat in mijn zak. Ik had hem ijs kunnen beloven, maar ik dacht: als ik zwijg is dat slim.

'Wel?' zei Bossie, en hij tuitte zijn lippen. 'Ik wacht.'

'Ik zou niet weten waarop,' zei ik.

Bossie snoof meer dan hij ademde.

In het magazijn onder ons waren Petra en Priit weer aan het werk, zoals elke dag. Het gedreun van hun machines ging eerst trillend de grond in en werkte zich daarna door de muren naar boven. Op het dak bleef er alleen wat gezoem van over.

Boven ons trok een vliegtuig een staart van krijt achter zich aan.

'Ik zei: ik wacht,' zei Bossie.

'Ik zei: ik zou niet weten waarop,' zei ik.

Van achter de muur om OUD IJZER CV verscheen een hommel. Hij nam een duikvlucht, scheerde laag over de stoep en stak de straat over. Halverwege de Melkweg was er een wervelwindje. Er draaiden blaadjes en papiertjes in het rond, en even ook de hommel.

Over de stoep aan de overkant liepen een man en een vrouw. Hij droeg een pet, zij had een hoed op tegen de zon. Hun gedachten waren fris. De lucht boven hen was blauw en breed.

Bossie duwde met zijn middelvinger tegen mijn schouder.

Ik trok mijn bovenlijf van hem weg en stak afwerend mijn hand uit.

'Jongen,' zei ik.

Bossie hield zijn gezicht dicht bij het mijne. Zijn adem rook naar melk. 'Je liegt niet goed,' zei hij.

'Ik lieg niet.'

'Papa is boos op mij en lief tegen jou, het valt op.'

'Dat beeld je je in. Hij werkt aan een artikel. Dan is hij altijd een beetje vaag.'

Bossie trok zijn mondhoeken in en schudde met zijn hoofd. 'Tegen mij was hij kort van stof, jou stond hij te knuffelen.'

'Te knuffelen,' zei ik. 'Je ziet spoken. Ben je jaloers?'

'Dat heb ik niet gehoord.'

'Praat ik te zacht?' zei ik.

De deur van het magazijn zwaaide open. Petra kwam naar buiten. Met een roestige plaatschaar in haar hand liep ze naar de pick-up. Achterop lag een berg van knalpotten en frames van kinderwagens en driewielers zonder wielen. Zigzag waren er blauwe touwen overheen gespannen, om de stapel bij elkaar te houden.

Petra keek er een tijdje blazend naar, alsof ze het maar een magere beer vond die Priit voor haar had geschoten. Ze stroopte haar mouwen op en ging aan het werk. Ze gooide de knalpotten bij de knalpotten, de frames van de kinderwagens bij de frames van de kinderwagens, de driewielers bij de driewielers. Als het ene metaal op het andere knalde, krijste het.

'Jij wordt gespaard,' zei Bossie tegen mij.

Het duurde even voor ik weer wist waarover hij het had.

'Dat is niet waar,' zei ik.

Er streek een lieveheersbeestje neer op mijn knie. Ik gaf hem mijn vinger om op te klimmen en stak mijn arm omhoog, om hem de hemel te laten zien. Volgens mij hapte het beest naar lucht voor hij wegvloog.

Bossie ging staan. Met zijn handen op zijn rug keek hij over OUD IJZER CV uit.

'Ik ben ouder dan jij,' zei hij. 'Ik begrijp een paar dingen beter.'

'O ja?' zei ik.

Zodra Bossie zich vooroverboog en zijn hand als een warme lap vlees in mijn nek legde, wist ik dat het te laat was om te ontsnappen. Met een slimme beweging van zijn voet schepte hij mijn benen bijeen. Van het ene op het andere moment lag ik languit op het dak. Hij pakte mijn polsen beet en duwde ze boven mijn hoofd. Met zijn knieën ging hij op mijn bovenarmen zitten. Hij kneedde mijn spieren.

'Ja,' zei hij. 'Ja.'

Ik klemde mijn tanden op elkaar.

Onder de struiken langs de Melkweg ritselden vogels. Af en toe was er het gekletter van metaal op metaal, het lawaai was eerst vlakbij en echode nog geen seconde later achter de bomen langs de Stoofstraat.

Met mijn ogen dicht kreeg ik superkracht: ik gooide Bossie met een vegende beweging van me af. Als in een stripverhaal vloog hij door de lucht, belandde plat op zijn rug aan de andere kant van het dak en schoof nog een paar meter door, tot vlak bij de rand. Hij leefde nog, maar hij had geboft. Ik veerde overeind, ik was van rubber. Ik zei 'Stik in je shitzooi' en liet hem achter op het dak. In een rechte lijn liep ik de Melkweg uit en ik wapperde met mijn geld, nee, het sneeuwde ineens briefjes om me heen, en ik zong een liedje over het ijs dat ik voor mezelf ging kopen: 'Straciatellalalala.'

In werkelijkheid kreeg ik bijna geen lucht. Ik lag als een kever op mijn rug en kon geen kant op.

Bossie pakte mijn kin vast en kneep er eens in. Hij keek op me neer zoals je naar een vlek op het tapijt kijkt. Iets waarvan het jammer was dat het gebeurd was. Iets wat je niet gemakkelijk meer weg kreeg.

Ik piepte eens. Het scheelde niet veel of mijn stem verdween helemaal. Er bleef haast niks anders van over dan een paar vleugeltjes die tegen mijn stembanden tikten.

'Ik had je vannacht uit mijn bed moeten duwen,' zei hij.

'Ja,' fluisterde ik. 'Dat had je moeten doen.'

Ik deed mijn ogen weer dicht, want in mijn hoofd was het misschien niet rustig, maar wel veilig.

Van het ene op het andere moment liet Bossie me los. We draaiden tegelijkertijd onze hoofden in de richting van de poort van OUD IJZER CV.

Het donderde in de Stoofstraat.

Petra bleef met haar handen op haar heupen staan en riep over haar schouder naar Priit.

We begrepen haar Oudijzers. Dat er op de metalen poort werd gebonkt.

Priit stak zijn hoofd om de hoek van de deur van het magazijn, verdween weer in het donker, en kwam een tel later naar buiten met de sleutel tussen zijn duim en wijsvinger. Hij haastte zich niet. Voor hij de sleutel in het slot draaide en de poort naar zich toe trok, zette hij een potkachel recht en raapte een kleinigheid op, een schroef of een moer.

Bossie ademde lawaaierig in.

Op de stoep stond het meisje met het gele haar. Ze duwde met één hand tegen de openzwaaiende poort. Hij botste tegen de potkachel die op zijn beurt scheef zakte en tegen een andere kachel aan tikte, waardoor een metalen plaat ging schuiven en zingen.

Het meisje legde haar handen tegen haar oren en

keek alsof ze schrok van het kabaal, maar zodra het gedonder zich tussen de muren naar boven had gewerkt en in de lucht boven ons was verdwenen, stapte ze zonder blozen langs Priit het binnenplein op.

Ze liet haar blik gaan over de autopeds, de wasmachinetrommels, de driewielers, de pick-up, Bossie en mij, de berg fietsjes. Ze probeerde te doen alsof ze ons niet had gezien, maar haar blik flitste een seconde naar ons terug.

Haar schoenen had ze zelf gemaakt. Er zaten zolen van kurk onder, met linten eraan vast die ze een paar keer om haar enkels had gewikkeld. Boven de strikken bleven haar benen duren. Ze verdwenen onder een kort, geel rokje dat liever een broek was geweest. Er zaten een gulp en zakken op genaaid.

Ze draaide zich om naar Priit en zei: 'Ik ben Calista.'

Priit fronste zijn wenkbrauwen en keek over het hoofd van het meisje in de richting van Petra.

Bossie kwam overeind. Hij zei: 'Hij begrijpt je niet.'

Het meisje keek op. Ze zei: 'Mijn naam is mijn naam.'

'Dat is waar. Alleen klinkt je naam niet als een naam, maar als een hele zin. Je moet Priit niet in de war brengen.'

Bossie ging op de rand van het dak zitten. Hij zei tegen Priit en Petra dat dat meisje daar Calista heette en hij sprak alle woorden van de eerste tot de laatste letter uit. Tegelijkertijd probeerde hij uit te beelden wat hij zei.

'Zij. Wil. Iets. Vragen.'

Priit en Petra fronsten hun voorhoofd.

Ik schaamde me.

'Wacht,' zei Bossie. Hij rolde op zijn buik en liet zijn benen hangen. Zijn voeten zochten houvast. Zijn armen trilden van de inspanning, zijn gezicht verkrampte, hij zocht met de neus van zijn schoen naar steun. Op de berg wasmachines kon hij staan. Van daar sprong hij naar de stapel regenpijpen – die van zink waren en inzakten. Hij wist zich maar net overeind te houden door zijn armen te spreiden en over te stappen naar de bak met knalpotten. Van daaraf wipte hij op de grond.

'Zeg eens,' zei hij, terwijl hij onbestaand stof van zijn shirt sloeg.

Mijn mond bleef openhangen.

Calista leunde op een lang been. Ze blies van de hitte, en knikte met haar kin in de richting van Priit.

'Wat moet ik zeggen?' zei ze.

'Gebruik je hersens,' zei Bossie.

Er had nog nooit iemand tegen Calista gezegd dat ze haar hersens moest gebruiken.

'Wijs gewoon aan wat je wil.'

Calista krabde aan haar arm. Ze zei, terwijl ze deed alsof ze een onzichtbare schoenendoos vasthield, dat ze iets van dat formaat zocht.

'Maar dan met wielen.'

'Vraag het dan. Iets van die grootte. Met wielen.'

'Maar hoe?'

'Door het hem te laten zien, natuurlijk.' Bossie verzachtte zijn stem. 'Kijk eens rond of je iets ziet wat geschikt is.' Hij maakte van zijn twee handen een brilletje en vroeg aan Priit of Calista mocht rondkijken.

Ze keek allang. Ze zag alles wat zich boven haar neus bevond. De top van de berg vrieskisten, de top van de berg koelkasten. Alsof ze daar een kar zou vinden.

Ik wist waar de karretjes lagen. Ik kon alleen niet beslissen of ik haar wilde helpen.

Ik riep naar beneden dat er al eens een kind in zijn enkels was gebeten door iets van een schoenendoos groot. Ik knikte in de richting van de karretjes met wielen en wielen zonder karretjes die vlak bij Calista's voeten lagen.

Ze bedankte me niet. Ze kirde als een duif. Ze deed alsof ze helemaal zelf gevonden had wat ze zocht.

Ik had meteen spijt dat ik haar ogen was geweest.

'Die wil ik!'

Ze wees een karretje aan waar niemand goed bij kon.

Priit ging hoofdschuddend aan het werk. Hij gooide het schroot overhoop. Hij haalde karren en fietswielen uit elkaar, maakte wankele stapels. Een stuk spatbord moest hij omvouwen, een kabel knipte hij door met de plaatschaar.

'Perfect!' riep Calista.

Daarna was ze een paar tellen van slag, omdat Priit haar duidelijk maakte dat ze zelf ook iets moest doen: haar kar oppakken.

Het ding had zes wieltjes en er zaten riemen overheen. Een stuk ervan was bekleed met knalgroen koeienvel. Zo groen zag je ze nooit in de wei lopen.

'Mooi,' zei Bossie. Hij plakte het puntje van zijn wijsvinger aan het puntje van zijn duim en stak het gat in zijn hand omhoog.

Calista grijnsde.

Priit grijnsde niet. Hij bracht zijn hand omhoog, met de handpalm naar boven, en zei: 'Goed.'

'Zeer goed,' zei Calista. Ze zette haar kar neer, pakte Priits hand met haar twee handen vast en schudde hem. Daarna pakte ze haar kar weer op, duwde Priit en Bossie met haar elleboog opzij en draaide de klink van de poort om.

Ik wilde nog roepen: 'Je vergeet te betalen!'

Maar ze glipte al door de kier.

De poort viel met het geluid van de donder dicht.

Priit liet zijn lege hand niet zakken. Het woord dat hij uitsprak in zijn taal was een vloek, dat was eraan te horen.

Het ergste was dat Bossie niet doorhad wat er gebeurd was. Hij zat op een wolk, een halve meter boven de grond.

'Bossie,' zei ik. 'Zou je niet eens achter haar aan gaan?'

Hij keek dom en liep naar de bak met knalpotten. De grijns op zijn gezicht bleef nog minstens een jaar vers.

'Waarom?' zei hij.

Ik zei: 'Ze heeft niet betaald.'

'Misschien had ze geen geld.' Hij draaide zich naar Priit om en legde zijn handen op zijn hart. Hij zei: 'Moeten kinderen betalen?'

Priits wenkbrauwen zakten in.

Ik zei: 'Bossie, dit kan niet.'

‘Waar maak je je druk over?’ Hij klom via de knalpotten, over de zinken goten naar de wasmachines. Hij floot. Hij stak zijn arm omhoog en wapperde ongeduldig met zijn hand, of ik hem wilde helpen.

Ik keek van hem weg.

Wat kon het hem schelen. Hij hielp zichzelf naar boven en ging op de rand van het dak zitten. Hij floot nog hoger dan eerst. Twiedeliedie.

Ik keek naar beneden, waar Petra en Priit beduusd bij elkaar stonden.

Ineens had ik er genoeg van. Bossie mocht zijn verdere leven in zijn eentje de spieren om zijn mond oefenen.

‘Waar ga jij naartoe?’ zei hij.

Ik zei: ‘Weg.’

‘Naar huis?’

Ik liep naar de muur aan de kant van de Melkweg.

‘Oskar?’ riep Bossie.

Ik hoorde de rest van zijn zin niet meer. Ik haakte mijn linkerhand achter een baksteen, zette mijn rechtervoet in een voeg, steunde op mijn rechterhand, liet mijn linkervoet hangen en hup: ik sprong de Melkweg in.

GELD

Mijn voeten raakten nog maar net de grond, of ze schoten al de straat op. Achter me hoorde ik Bossie klauteren en vallen tegelijk.

Hij kwam met gestrekte armen achter mij aan. Zijn adem haalde me in.

'Oskar, Oskar!'

Hij graaide naar mijn wapperende overhemd.

Ik schudde hem af door plotseling te blijven staan. Voor hij tot stilstand kwam, dook ik al weer onder zijn arm door.

Hij vloekte dat het knetterde.

Ik ging de hoek om, de Stoofstraat in.

In de verte liep Calista onder de bomen. Met twee vingers kon ik haar fijnknijpen.

'Hé!' riep ik.

Pas toen ze het voetpad onder zich voelde daveren, draaide ze zich om en deinsde achteruit. Van haar kar, die ze eerst als een boekentas onder haar arm droeg, maakte ze een harnas. Ze zocht dekking op de drempel van een huis.

'Wat is er?'

Haar ogen flitsten van mij naar Bossie. Hij kwam hijgend aanzetten en gaf al van ver te kennen dat hij niks met mij te maken had.

Ik zei: 'Je hebt je kar niet betaald.'

Calista knipperde met haar ogen.

Ze zei: 'Wat?'

'Je hebt je kar niet betaald. Je hebt niet eens bedankt. Die mensen stapelen het oud ijzer niet op voor hun plezier.'

Bossie deed zijn mond open om in de plaats van Calista te antwoorden, ik hoorde zijn 'Oskar, Oskar' al aankomen, maar ik stak mijn hand naar hem op en knikte eens in de richting van de koeienkar.

'Je kunt er toch íéts voor geven?' zei ik.

'Natuurlijk kan ik er íéts voor geven,' zei ze.

'Pak dat geld dan en geef het aan ze,' zei ik. 'Waar is het?'

'In mijn zak,' zei Calista. 'In mijn oor, in mijn gat.'

Bossie grinnikte.

Mijn blik schoot even zijn richting uit, maar het kwaad was al geschied.

Calista tilde haar kin op. Twee zijn sterker dan een, ik zag het haar denken.

'Wat een gedoe over niks,' zei ze, terwijl ze haar hand in haar zak stopte. Ze haalde een briefje tevoorschijn en hield het tussen ons in.

Heel even dacht ik dat ze het geld uit mijn zak had gerold.

Ze zei: 'Kijk eens.'

'Zo,' zei ik.

'Het is van mij, het blijft van mij.'

Tussen ons in denderde een zwaar rolluik naar beneden.

Ik zette een stap naar achteren. Ik keek heel even naar het dak van lichte en donkere bladeren boven mijn hoofd. Ik zei dat ik het hele eind terug ging lopen naar de poort van OUD IJZER CV.

'Ik ga ervoor zorgen dat Priit iets voor die kar krijgt,' zei ik. 'Pas maar op.' Ik hapte naar adem en voelde mijn spieren verstrakken. Nog voor Calista iets doorhad, griste ik het geld uit haar hand en schoot er als de bliksem vandoor.

De Stoofstraat schrok van mijn lawaai: met twee handen tegelijk gaf ik de poort van OUD IJZER CV ervan langs.

Calista kwam achter me aan, met Bossie in haar kielzog. Ze stortten zich met z'n tweeën boven op me. Zij zocht naar het geld in mijn vuist.

Bossie deed geen moeite om te verbergen dat hij haar hielp. Hij trok mijn ene arm haast uit de kom. Zij draaide aan mijn andere arm. Ze wrongen me met z'n tweeën uit.

Ik vocht om lucht.

Per ongeluk knalde ik tegen hun harde koppen aan. De pijn maakte ze woest. Zij siste en blies en liet haar tanden zien.

Op dat moment gooide Priit de poort open.

Calista en Bossie konden zich struikelend overeind houden.

Ik viel om als een zak zand. Ik kwam met mijn gezicht op de harde stenen terecht. Ik dacht dat ik mijn schedel hoorde kraken. Een paar tellen lag ik op mijn zij naar de gekantelde hopen schroot te kijken, en ik bedacht suf: de blauwe lucht is gekapseisd.

Priit stak zijn hand naar me uit. Zonder nadenken reikte ik hem het geld aan dat in mijn vuist een vodje was geworden, en toen pas begreep ik dat Priit me overeind wilde trekken.

Hij groeide en kreunde van verbazing.

'Het komt van haar,' zei ik. Ik knikte in de richting van Calista en haar kar.

Priit keek maar heel even op. Hij had niemand gezien. Hij stopte het geld in zijn zak, en mompelde een zinnetje waarin het woord tijd voorkwam. Het was geloof ik niet de bedoeling dat we het begrepen.

De lelijke woorden lagen klaar op Calista's tong. Ze maalde ze fijn.

Petra kwam fronsend bij ons staan. Ze zag eruit alsof ze haar gezicht had dichtgevouwen. Ze hield haar armen een eindje van haar lichaam af, zoals je zou doen als je dieren bij elkaar drijft. Haar taal was niet mis te verstaan.

Bossie boog zijn hoofd.

Calista slikte moeilijk en kneep haar lippen op elkaar.

Ik bleef het langst dralen, omdat mijn voorgevoel zei: zo meteen krijg ik de volle laag. Ik keek om naar Priit en Petra.

Ze knikten naar me, ze glimlachten zelfs.

Evengoed sloeg de poort achter me dicht.

Na de klap werd ik een muis.

Calista liet haar kar kletterend tussen onze voeten in vallen. Haar tenen kregen een tik. Ze gaf geen kik. Ze zette haar handen in haar zij en vroeg wie ik dacht dat ik was.

Ze keek van mij naar Bossie en terug, en sloeg tegen haar voorhoofd. Ze zei: 'Ik mag niet vergeten dat jullie broers zijn. Allebei smeerlappen dus.'

Ze pakte haar kar op en gaf me zogenaamd per ongeluk een duw.

Met grote stappen liep ze van Bossie en mij weg. Haar lichaam schudde en schokte, alsof er elk moment iets kon ontploffen.

Ik hoefde niet naar Bossie te kijken om te weten dat hij naast me stond te sterven. Zijn handen vielen op de grond, zijn armen vielen ernaast, zijn hoofd, zijn romp, zijn hart brak, zijn hele lichaam ging aan diggelen.

'Shitzooi,' zei hij.

'Die zien we nooit meer terug,' zei ik.

Maar ik vergiste me in Calista.

Een eind verderop bleef ze staan. Ze keek over haar schouder, alsof ze over een muurtje gluurde.

Ik zag haar rechtsomkeert maken en op haar lange benen op Bossie en mij afstevenen. Ik dacht: ze loopt als een kip. Ik dacht: ik moet mijn armen kruisen, mijn borst volpompen met lucht. Ik moet onverzettelijk zijn. Ik mag geen vin verroeren, geen spier vertrekken.

Ik zag haar vuist op me af komen.

Hij knalde op mijn rechteroog.

'Uch,' deed ik.
'Juist,' zei ze. 'Dumbo.'

Ik zag de kleur, ik herkende het merk, en een paar seconden lang hapte ik naar adem: naast de stoep stopte een rode Jensen FF. Ik zwaaide heen en weer op mijn benen en kon maar aan één ding denken: dat ik geen andere Jensen FF kende dan de rode van Geesjes vader.

Geesjes vader stapte uit, liep om de auto heen, stopte zijn sleutels in zijn zak. Hij ging naast Calista staan en zei: 'Heb ik gezien wat ik heb gezien?'

Als altijd had hij pasgestreken kleren aan. Een schoon hemd, een broek met een vouw. Zijn schoenen blonken als nieuw. Een moment dacht ik dat hij een spel begon. Het heette *Heb ik gezien wat ik heb gezien*? Hij had een vraag gesteld voor tien punten en wachtte op het antwoord.

Er trok een scheut van pijn door mijn oog naar de achterkant van mijn hoofd. Om het niet te laten merken, keerde ik me van Geesjes vader af en deed alsof ik aan mijn voorhoofd krabde.

Hij zei: 'Voorzichtig, Oz,' en vroeg aan Calista of ze mij had geslagen. Zijn stem was rustig. 'Ik denk namelijk dat ik dat heb gezien.'

Calista blies lucht in haar wangen. Ze maakte geluidjes alsof ze onder water zwom en sloeg haar ogen neer.

'Wat brom je, meisje? Ik versta je niet. Ik vroeg: heb je Oskar geslagen?'

Het kostte Calista veel moeite om haar vinger in mijn richting te steken. Ze probeerde het knikken van haar hoofd ook een beetje op schudden te laten lijken, en haastte zich met beschuldigingen. Ze zei dat ik vals had gespeeld, ik had geld van haar gepakt. Ze maakte een klakkend geluidje met haar tong, omdat ze zelf vond dat ze een foutje had gemaakt. 'Áfgepakt,' zei ze.

Ik stopte mijn hand in mijn broekzak om het geld dat ik van papa had gekregen te zoeken, maar mijn bewegingen vielen stil.

Ik zag ineens wie er achter in de Jensen FF zat. Wat ik wilde zeggen, vergat ik op slag. Wat ik wilde uitleggen, verschrompelde in mijn mond.

Geesje zat op de achterbank, amper twee meter van me af. Haar handen lagen in haar schoot. In haar ene hand hield ze een zakdoek, in haar andere haar roze zonnebril.

Ik had haar nog nooit zo klein gezien.

Ze was niet van plan om haar hoofd in mijn richting te draaien. Ze staarde voor zich uit. Heel af en toe gluurde ze eens uit haar ooghoeken, alsof ze stukjes van ons stal die ze later bij elkaar zou puzzelen.

'Heb jij geld van haar gepakt?' vroeg Geesjes vader aan mij.

'Afgepakt,' zei Calista.

'Ja of nee?'

Ik stak mijn handen omhoog.

'Nee,' zei ik. 'Ik vind niet dat ik het afgepakt heb. Zij heeft hiernaast bij OUD IJZER iets meegenomen. Bossie heeft haar helpen uitzoeken.'

'Beetje maar,' zei Bossie.

'Zonder hem en mij had ze niet gevonden wat ze zocht.'

Ik dacht dat ik er niks aan toe te voegen had, maar er kwam een opmerking van Geesjes moeder bij me op, ik had hem die ochtend gehoord, en ik was er toen stil van geworden. Ik kon hem nu goed gebruiken. Calista zou ervan in elkaar krimpen als een slak waar je zout op strooit.

Ik zei: 'Ik was erbij.'

Geesjes vader deed: 'Eh.'

Calista verpinkte niet. Zonder blozen zei ze: 'Je bent een leugenaar.'

Ik bedankte haar met mijn meest onverschillige stem, en ik keek met opgetrokken wenkbrauwen naar Geesjes vader.

Hij pakte mijn schouder vast.

'Ik vraag het niet nog een keer,' zei hij.

'Ik lieg niet,' zei ik. 'Ik heb ervoor gezorgd dat ze betaald heeft voor haar kar.' Ik knikte naar Calista. 'Als zij iets anders beweert, is zij het die liegt.'

Calista blies over haar gezicht. Zoveel onrecht was haar nog nooit aangedaan. Ze werkte de voering van de zakken op haar broek die een rok was naar buiten en zei: 'Mijn zakken zijn leeg.'

'Dat bewijst niets,' zei Geesjes vader. 'Blauwe plekken daarentegen...' Hij zweeg en pakte mijn kin in zijn hand en draaide mijn gezicht naar zich toe. Zachtjes duwde hij op de bult die onder mijn wenkbrauw groeide en klopte.

Ik keek naar zijn gezicht. Ik dacht: uw ogen zijn rood en dik. Ik dacht: hoe moet ik zeggen dat ik het erg vind van Geesjes tante?

Geesjes vader ontweek mijn blik. Hij zei dat er ijs op mijn slaap moest.

'Jij hebt wat je zocht,' zei hij met een knik naar Calista. 'Jij kunt naar huis.'

Het brutale antwoord van Calista begon met: 'En mijn geld.' De rest hoorde niemand, omdat er een lawaaierige vrachtwagen passeerde.

Toen Geesjes vader om de auto heen liep en instapte, verroerde Geesje geen vin.

Ik voelde de blik van Bossie. Hij had Geesje nu pas opgemerkt en stuurde me met zijn ogen in haar richting.

Ik maakte hem met een grimas duidelijk dat ik haar allang had gezien. Ik liet mijn ogen in de richting van Calista glijden. Hij mocht zich met zijn nieuwe vlam bezighouden.

De motor startte.

In gedachten vroeg ik Geesje of ze eens mijn kant op wilde kijken. Heel even was lang genoeg.

Haar mond bleef een dunne streep.

Ze zette haar zonnebril op. Ze zocht de zonkant om naar te kijken.

Ik stapte langzaam met de auto mee. Ik dacht aan het

geld dat ik van papa had gekregen en wilde het tevoorschijn halen. Kijk dan, Geesje, wilde ik zeggen. Kijk dan. Hier: ik heb geld gekregen. Wat zullen we ermee kopen? Is je boek al uit?

Ik vond het geld niet snel genoeg, en Geesje keek maar niet. De zonkant bleef de overkant.

Ik kon de Jensen niet langer bijbenen. Hij reed de Stoofstraat op, de Melkweg voorbij.

Er waren fietsers, er waren auto's.

De bladeren boven mijn hoofd ritselden, er was ergens een vrouw die lachte.

Toen ik me omdraaide, stond alleen Bossie er nog. Hij keek over zijn schouder naar Calista, die al een eind was doorgelopen.

Ze liep schaduw in, schaduw uit.

Aan zijn houding was te zien dat hij graag achter haar aan wilde gaan. Hij stak zijn hand naar me uit.

'Hé, Oz.'

Ik voelde dat ik iets prettigs moest terugzeggen – 'Ha, broer' – maar ik vertikte het.

Hij vroeg of alles kits was met me.

Alles kits was een uitdrukking die niet in zijn mond paste. Het klonk een beetje als shitzooi.

Ik zei dat de buil boven mijn oog zeurde. 'Maar het gaat wel,' zei ik. 'Ga maar.'

Dat antwoord had Bossie nodig.

Hij zei: 'Ja,' en aarzelde geen seconde. Hij vloog achter Calista aan.

Ik kon aan zijn rug zien dat hij het fantastisch vond

om naast haar te lopen. Eerst dacht ik nog dat hij zijn handen in zijn zakken stopte en met zijn voeten sleepte, maar daarna zag ik dat hij de groene koeienkar van haar overpakte en met zijn voeten sleepte. Dat was een belangrijk verschil.

Ik verwachtte niet echt dat ze zouden omkijken, maar toen ze met z'n tweeën de hoek van de Thaliastraat omsloegen en uit het zicht verdwenen, moest ik even slikken.

Ik bleef lang op één tegel staan.

Ik probeerde te wennen aan hoe de dingen nu waren. Er zouden zich geen verrassingen voordoen. De Jensen zou niet rechtsomkeert maken met Geesje erin. Bossie en Calista zouden niet op hun stappen terugkeren. Niemand zou op me af komen huppelen en zwaaien en gillen dat het allemaal maar een spelletje was geweest.

Ik dacht aan die familie in Engeland die de loterij had gewonnen. Van het geld bouwden ze een huis met veel grond eromheen. Ze bouwden een sportzaal, een zwembad en een filmzaal voor hun kinderen, en omdat het bij het huis paste, lieten ze ook paardenstallen bouwen. Paarden kochten ze niet, want ze hielden niet van paarden. De kinderen kregen elk een televisie.

Na een jaar zag de moeder dat het geluk maar niet wilde beginnen. Ze miste het kleine huis van vroeger, waar haar kinderen en de vader niet aldoor zoek waren, maar gewoon om de eettafel kaart zaten te spelen. De vader, die vroeger graag over de heg een praatje met de buurman maakte, wist niet bij welk hek in zijn grote tuin hij moest gaan staan om een buurman te vinden. En de kinderen verveelden zich.

Vijf jaar nadat ze de loterij hadden gewonnen, kwamen ze in de krant. De moeder zei: ‘Ons ongeluk is begonnen met dat nieuwe briefje van een Engelse pond waarmee we dat lot hebben gekocht.’

Ik voelde of mijn krakende briefje nog in mijn zak zat. Het zat er nog en ik liet het daar zitten, en ik dacht: niet al het kleine nieuws is onbelangrijk. Dat moest ik onthouden en aan papa vertellen, als we ooit nog eens samen aan tafel zaten. Sommige nieuwtjes zijn belangrijker dan ze lijken.

PICK-UP

Toen Priit de pick-up naar buiten reed, sprong ik op van de stoeprand waar ik een tijdlang had zitten kniezen. Hij wilde naar de poort lopen om hem dicht te maken, maar Petra was hem al voor. Met de kruk van het portier in zijn hand bleef hij staan. Hij zei iets wat met 'jij bent' begon en met een paar andere woorden eindigde. Hij keek vragend.

Ik dacht dat hij vroeg wat ik hier in mijn eentje deed. Om te laten zien dat ik ruzie had, keek ik boos en stak mijn gebalde vuisten omhoog.

Petra kwam naar ons toe. Ze zocht Priits hand om hem de sleutelbos te geven.

Het leek alsof ze even hand in hand stonden, en daar schrok ik van. Door dat gebaar drong het tot me door dat ik alleen was. Ik had met bijna iedereen die ik kende ruzie. Ik wist niet hoe je 'bijna iedereen' uitbeeldde. Ik kon een slordige cirkel laten zien die de wereld voorstelde, maar dan was het raar om eraan toe te voegen: 'Maar niet met jullie en ook niet met papa.'

Priit bootste mijn gezicht na en rammelde met de sleutels.

Ik begreep dat hij me vroeg of ik met ze wilde meerijden. Ergens heen.

Mij maakte het niet uit waarheen. Ik had al veel te lang zitten nadenken over thuis en Ons Clubhuis en de omgebouwde schuur in Italië waar mama was om orde te krijgen in haar hart en haar hoofd.

Om te laten zien dat ik naar de rit uitkeek, wreef ik in mijn handen.

Petra maakte het portier voor me open.

Ik zei terwijl ik naar binnen klom dat ik nog nooit in een pick-up had gezeten, en zodra ik zat, schrok ik van het gevoel en de hitte en het uitzicht.

'Kom,' zei Petra, en ze gaf me een duwtje, want zij moest er ook nog bij.

Priit draaide de sleutel om en veerde geschrokken overeind, omdat er vanonder de motorkap een kuchend, bijna hinnikend geluid kwam.

'Motor is moe,' zei hij. Hij probeerde de sleutel een paar keer en luisterde aandachtig of er behalve het hoesten niet ook een gezond geluidje te horen was. Voor de grap deed hij de motor na.

Petra schoot in de lach, ik ook.

Ik vond dat ik erg hard lachte.

Het lukte Priit niet nog eens om de motor grappig te laten sputteren. Hij sloeg gewoon aan, mopperend en ronkend als vanouds.

Alle drie zaten we een ogenblik stil door de voorruit te staren. Het was als na het knappen van een ballon. Iets vrolijks wat er daarnet nog wel was, bestond plotseling niet meer.

De pick-up draaide met een zuchtend geluid de Stoofstraat op.

Nog even gleden de bomen en de tuinen voorbij, daarna begon het stuk van de Stoofstraat waar weinig mensen woonden.

Er stonden grote pakhuizen die volgens Bossie de bijzonderste van het land waren. Dingen die je nergens anders vond werden daar opgeslagen, zoals punaises van plastic, zakken met piepschuim en zwevende vloeren. Er was een grote hangar waar houten kratten werden gestapeld met plastic flesjes van een vinger lang erin, honderden vingerlange plastic flesjes per krat. Frisdrankfabrieken bliezen er hete lucht in, zodat ze zwollen tot flessen waarin twee liter limonade paste.

Wat ik van Bossie over de grote pakhuizen had geleerd, wilde ik aan Priit en Petra doorvertellen. Ik had geen idee hoe ik zonder woorden kon uitleggen dat een grote limonadefles in het begin niet langer dan een vinger is, en hoe beeldde ik een zwevende vloer uit, of piepschuim?

'Wauw,' zei ik tegen Priit. Ik maakte mijn ogen groot om te laten zien hoe ontzaglijk groot ik de opslagplaatsen vond. Terwijl ik dat deed, besefte ik dat ik iets vertelde wat ik eigenlijk helemaal niet wilde vertellen.

Dat was waarschijnlijk het gevoel wat Petra en Priit hele dagen hadden.

Uitgerekend op dat moment legde Petra haar arm om mijn schouder. Ze vroeg of alles goed met me was.

Ik stak mijn duim omhoog.

De weg die op ons af kwam kon ik niet goed zien. Ik moest met mijn ogen knipperen om ze weer helder te krijgen. Ik veegde ze droog met de rug van mijn hand.

We reden het beton uit, het groen weer in. Om ons heen lagen velden en weiden. Hier en daar stond een huis in een bosje van struiken en bomen.

Priit hield zijn volle broodtrommel voor mijn neus.

'O zeker,' zei ik, alsof ik een heel varken op kon.

In de broodtrommel zaten dikgesneden, donkerbruine boterhammen met een soort boter erop die ik niet kende. De boter was glazig en rook ranzig, of misschien kwam die geur van de dikke stukken bleke worst af waarmee het brood was belegd.

Ik pakte een boterham en nam er een hap van. De worst was vet en smaakte naar bloed. Er zaten krakende stukjes in.

Petra en Priit tastten verlekkerd toe. Ze sperden hun kaken wijd open en stopten er zoveel mogelijk brood en worst tegelijkertijd tussen. Ze kauwden slordig.

De pick-up reed met een te hoge snelheid over een verkeersdrempel.

Ik viel om van het geschommel, tegen Petra aan.

Zij giechelde met volle mond en porde me tussen mijn ribben.

Ik probeerde te doen alsof ik het porren prettig vond en verstouwde de laatste hap brood en worst. Het voelde alsof de rest van de boterham halverwege mijn slokdarm was blijven steken. Ik wilde niet ondankbaar lijken. Ik smakte eens, alsof ik lekker gegeten had, en veegde mijn vingers af aan mijn broek.

Priit legde zijn hand op de versnellingspook en ging

langzamer rijden. We sloegen rechts af, een hobbelige zandweg op.

In de hele omgeving herkende ik geen huis, geen verkeersbord, geen boom. Achter de pick-up groeide een muur van stof, alsof we door een landschap reden dat vlak achter ons ophield te bestaan.

Aan weerskanten van de weg, zover ik kon zien, lag er puin. Twee woestijnen van puin, met hier en daar een struik erop of ertussen. Rechts van me waren er ongelijke bergen van gebruikte bakstenen. Ze lagen op kleur: rode, grijze, gele.

We reden de hobbelige landweg af, in de richting van de trillende lucht verderop, een ongelooflijk groen bosje in. Daar namen we een scherpe bocht tussen hoge bermen door, waar het koeler was. Er groeiden bolle, vriendelijke struiken.

Achter de volgende bocht was geen vijver of een koel bos, zoals ik gehoopt had, maar nog een stuk kale grond. Alles lag er te bakken in de zon. Het was alsof we aankwamen in een ander land.

In het midden van het open veld lag een reuzengroot nest van betonijzers en buizen en stukken verwrongen metaal. Priit parkeerde er de pick-up naast.

Zonder iets te zeggen stapte hij uit.

Petra liet het portier openstaan en volgde hem, maar ik wist niet wat ik moest doen.

De lucht viel als warme pap over me heen.

Petra en Priit waren nergens te bekennen. Ze leken te zijn opgegaan in damp.

De zon brandde op mijn gezicht. Vlakbij stond een struik die bijen lokte. Ik hoorde ze zo hard zoemen dat ik een moment dacht dat ik de struik was waar ze omheen zwermden.

Mijn handen legde ik als de klep van een pet boven mijn ogen.

Om een stil huis verderop lag heel veel kale grond. Het zand waaide op.

Het licht was zo fel dat ik ervan moest niezen.

'Hoppa,' hoorde ik iemand zeggen.

Uit de verte kwam een vrouw naar me toe stappen. Volgens mij droeg ze het licht op haar rug. Ik moest mijn ogen tot spleetjes knijpen om haar te kunnen zien.

Naast haar sjokte een gevlekte hond voort. Hij bleef op een afstandje staan en tilde zijn poot op om aan zijn zij te krabben.

De vrouw was klein. Haar benen stonden krom onder haar romp. Ze droeg een zwarte rolkraagtrui waarin haren en houtkrullen en vleugels van langpootmuggen hingen. De trui zag eruit alsof hij sinds de winter niet was gewassen. Achter haar oor zat een speld in de vorm van een vlinder.

Ze zei: 'Hallo,' en lachte haar tanden bloot. 'Wie ben jij?'

Ik zei: 'Oskar.'

'Oskar is een mooie naam,' zei ze. Ze had een vriendelijke stem en lichte, groene ogen.

Plotseling merkte ze boven mijn hoofd iets op. Ze

lachte breed en zette haar handen op haar heupen.

'Och, daar zijn jullie!' riep ze uit.

Achter mijn rug waren Petra en Priit in het nest van metaal geklommen.

'Ik dacht al dat jullie je personeel hadden gestuurd. Ik dacht: moet de grote Oskar de hele boedel in zijn eentje in de laadbak gooien?'

Ik bloosde haast nooit. Nu bloosde ik tot in mijn haarwortels. Er kwetterden mussen om me heen, ze lachten me een beetje uit.

'Heb je dorst?' zei de vrouw tegen me. Ze veegde het zweet van haar bovenlip. 'Wil je granita?'

Ik zei dat ik niet wist wat granita was.

'Daar,' zei ze, terwijl ze haar arm strekte en er haar oog tegenaan vlijde. Ze wees naar het huis. 'Loop dat donkere gat maar in. Dat is mijn keukendeur. Zeg tegen Phyllis dat je dorst hebt. Zeg haar dat ze ijs moet pakken om op je dikke wenkbrauw te leggen, tjongejonge wat een bult, welke bruut heeft jou geslagen.'

Ik was nog nooit zomaar een huis binnen gelopen om daar aan iemand te vertellen dat ik dorst had, en een buil.

'Ga dan, ga dan,' zei de vrouw. Ze wapperde me weg met haar hand. Tegen haar hond zei ze: 'Keuken!'

De hond draaide zich langzaam om, kwispelde eens voorzichtig toen ik hem inhaalde, en liep daarna gelijk met me op. Hij keek af en toe opzij, alsof hij zijn poten met mijn benen vergeleek.

'Dag maatje,' zei ik tegen hem. Ik keek niet echt naar hem, ik vergeleek hem alleen maar met Jeckyll.

Hij liep de keuken in en keerde terug alsof hij zich zorgen maakte waar ik bleef.

Op de drempel deinsde ik even terug. Er hing een zure geur van afwas en gebakken vis en soep die had staan koken met de deuren en de ramen dicht. Mijn maag mopperde. De lucht was zo dik en warm dat je ertegenaan kon leunen. Ik probeerde niet door mijn neus te ademen.

Mijn ogen wenden langzaam aan het donker. Ik zag meer kasten dan keuken. De kasten waren rood en zwart. Zulk hout had ik nog nooit gezien. In het midden van de kamer stond een tafel met twee stoelen, en ook dat hout was rood en zwart. Het vlamde nogal daarbinnen.

'Hallo?' zei ik tegen niemand.

Ergens in de kamer bromde en tikte een ventilator.

'Phyllis?' zei ik, en ik deed een stap naar voren.

PHYLLIS

In een hoek achter een van de kasten brandde een lamp boven het hoofd van een meisje. Eerst dacht ik dat ze naar mij zat te glimlachen, maar na een tijdje besefte ik dat ik naar een rijtje spijkers tussen haar lippen stond te kijken.

'Hallo,' zei ik.

'Hm,' deed het meisje. Ze hield een hamer in haar ene hand en een plankje in haar andere.

De hond liep de keuken in en verdween tussen de stoelpoten. Aan de andere kant van de tafel werd hij begroet met een paar zachte tikken van het plankje tegen zijn bil.

Ik zei: 'Ik moet je komen zeggen dat ik dorst heb.'

Phyllis spuugde de spijkers uit. 'Heeft mijn moeder gezegd dat we granita hebben?'

'Ja,' zei ik. 'Maar ik weet niet wat granita is.'

'Sommigen vinden het eten met een rietje.' Ze draaide zich om zonder van haar stoel te komen.

Ik hield een paar tellen op met ademen.

De stoel van Phyllis zoemde en ging vooruit. Aan het frame van de rolstoel waren linten en vrolijke strikken geknoopt. De rugleuning zat onder de stickers, en waar plaats was hingen plastic bloemen of poppetjes of knuffelberen die een hart vasthielden.

Op het moment dat ze door een lichtvlek reed, ving ik een glimp op van Phyllis' benen. Misschien hadden mijn ogen me bedrogen. Ik wist niet dat er zulke korte benen bestonden.

'Ik weet het,' zei Phyllis. 'Het is donker, zo met de rolluiken dicht.' Ze zei iets over dun glas, en dat we anders tomaten in een serre zouden zijn. Dat daarom die ventilator op de kast stond. 'Dan beweegt de lucht nog een beetje. Vandaag is er niets wat echt helpt.'

'Van je moeder moet ik je ijs vragen – voor op mijn buil.' Mijn woorden liepen niet gelijk op met mijn gedachten. Ik struikelde over de gemakkelijkste woorden.

'Buil?' zei Phyllis. 'O, ik zie het. Waar ben jij tegenaan gelopen?'

'Tegen een vuist,' zei ik.

De lege beker die ze uit de kast pakte, bleef in de lucht hangen. Aan haar gezicht kon ik zien dat ze zich probeerde voor te stellen hoe ik tegen die vuist aan was gelopen. Ze knipperde met haar ogen.

'Het doet geen pijn,' zei ik.

'Heb je ruziegemaakt?'

'Ik heb vandaag ruzie met iedereen die ik ken.'

Phyllis grinnikte. 'Gelukkig ken je mij niet.' Ze duwde op een knop van het toestel dat naast het aanrecht stond en probeerde boven het geronk en geratel uit te komen. Ze ging met een hoge stem praten, omdat ze dacht dat ze dan beter verstaanbaar was. Ze riep dat het maken van granita veel lawaai gaf, omdat deze machine een oud model was, ongeveer van toen de granita werd uitgevonden.

Ik was opgelucht toen het toestel stilviel.

Phyllis zette de beker op tafel en plantte er een rietje in.

'Bessen,' zei ze.

De hond kwam naar me toe en draaide zijn kop in de richting van de tafel, alsof hij wilde zeggen: kom dan, proef dan.

Ik liep naar binnen op slappe benen. Ik vond dat er in de hoeken en onder de tafel weinig verschil was tussen donker en heel donker.

'En?' zei Phyllis, nog voor ik met mijn lippen het rietje probeerde te vinden.

Eerst was er de kou van het ijs, daarna pas kwam de smaak, en eigenlijk was dat niet echt waar: ik zoog de granita recht mijn keelgat in. Dat was niet slim. Mijn slokdarm schrok.

Phyllis schudde ijsblokjes uit een plastic bakje boven een handdoek uit en maakte er een buidel van.

'Ga zitten,' zei ze.

Veel stoel had ik niet nodig. Op een halve bil was ook al goed. In mijn ene hand hield ik mijn beker granita, met mijn andere hand duwde ik de handdoek met het ijs tegen mijn voorhoofd.

Phyllis pakte de hamer weer op.

'Vind je het erg als ik verder werk?'

Voor haar neus en op de planken om haar heen lagen

houten doosjes, houten bakjes en kistjes en resten papier. Aan een rek hingen zagen en scharen.

Ze tikte heel secuur een spijker in een plankje. Een hele tijd bleef het stil, op het tikken van de hamer en het brommen van de ventilator op de koelkast na.

De hond keek hoe Phyllis aan een kistje bouwde. Daarna kwam hij weer bij mij staan. Hij durfde niet heel blij te zijn. Kwispelen deed hij heel voorzichtig.

Ik zei tegen Phyllis: 'Wat heb je een mooie hobby.'

Ze keek om. 'Hobby?' Ze grinnikte eens. 'Hobby klinkt alsof je alleen maar de tijd vol maakt. Je moet altijd, hoe zal ik het zeggen: jezelf vervullen.' Ze maakte een gebaar in de richting van haar hart en wees naar de doosjes. 'Dit is wat ik het liefste doe. Ik maak ze in alle maten. Ik beplak ze met wat mijn moeder meebrengt uit de huizen, voor die worden afgebroken. Een rol behang, kasboeken, een kladschrift, een schoon schrift, foto's, brieven.'

'O,' zei ik – ik was echt verbaasd.

'Je zou denken dat een leegstaand huis leeg is, maar het is nooit helemaal leeg. Mijn moeder vindt altijd nog iets. Ze heeft er een neus voor. Ze heeft eens heel veel geld onder een plank gevonden. Het was te oud geld om er nog mee te betalen en niet oud genoeg om al iets waard te zijn, maar het zat in een mooi, oud koekblik. In een ander huis heeft ze een oude postzegel van achter een plint gevist. Die heeft wel veel geld opgebracht. En afgelopen winter heeft ze een opgerolde tekening van een dodo achter een wandje gevonden, maar die heb ik niet gebruikt om op een doosje te plakken, die hebben we ingelijst.'

Phyllis knikte naar de muur achter me. De lamp boven haar hoofd boog ze om.

Ik haalde het ijs van mijn voorhoofd en keek met haar mee naar het dikke beest op de prent. De tekenaar had elk veertje getekend.

'Bijna echt,' zei ik.

Onder de tafel hijgde de hond.

'Je zou haast denken dat de vogel ademt.'

'Dat kan niet,' antwoordde Phyllis. 'De dodo is uitgestorven.' Ze glimlachte vriendelijk naar me en draaide de lamp weer terug.

Ik kon zien dat er nog een gedachte op het puntje van haar tong lag.

'Vind je het mooi wat ik maak?'

Ze pakte een doosje op en liet het me van alle kanten zien. 'Hier zit kastpapier op. Alsof er confetti overheen is gestrooid, zo vrolijk is het.'

Ik knikte.

'Vergis je niet. Dat papier heeft mama gered uit het huis van een vrouw die van een klif is gesprongen.'

Ik voelde mijn ogen groot worden.

Phyllis grinnikte. Ze stak haar hand omhoog om hem dan weer te laten zakken.

'Wees gerust,' zei ze. 'Ze is gesprongen, maar niet gevallen. Ze is met haar jas in een boom blijven hangen die over de rand groeide. Anderhalve dag heeft ze in de lucht gebungeld voor ze haar vonden. Haar tong was kurkdroog. Ze kon geen kant op, want de boom hield de jas vast en de jas liet de vrouw niet los. Toen ze haar naar boven takelden, duurde het een uur voor ze weer op haar benen kon staan. En ze wilde niet meer dood. Ze is een heel nieuw leven begonnen.'

Phyllis wachtte tot ik naar haar keek en niet meer naar het doosje in haar handen. Ze grijnsde. 'Dan begrijp je meteen waarom ik dit een vrolijk kistje vind.'

Ik probeerde te lachen, maar het ging niet goed. Ik begreep niet waarom ze het een vrolijk kistje vond.

De Pitts S2B schoot me te binnen. Phyllis zou het een schitterend verhaal vinden. Ze zou waarschijnlijk goed kunnen opschieten met Bossie.

Mijn hart zakte in mijn borstkas. Ik dacht aan mama.

'Ja, met die confetti,' zei ik, zonder te weten waarom ik dat zei.

Het koude zweet brak me uit.

In mijn hoofd draaide een nieuwe gedachte rondjes. Ik raakte er niet vanaf. De gedachte was: mama begint een nieuw leven. Zo kort was hij. Mama begint een nieuw leven. Maar omdat de gedachte zich herhaalde, werd het een ondraaglijk lange gedachte.

Ik dacht: ik ga staan, dan krijg ik lucht. Ik legde de handdoek met het ijs erin op tafel. Ik dacht dat mijn handen nat waren van het ijs, maar het was zweet. Mijn hemd plakte op mijn rug.

'Ga je al?'

'Misschien willen ze buiten dat ik help,' zei ik.

Toen ik omkeek naar de open deur, werd het een paar

tellen zwart voor mijn ogen. Ik moest me aan mijn stoel vasthouden.

Het licht was veel te fel.

De geluiden die van buiten kwamen klonken schel. De mussen die daarnet nog kwetterden, schreeuwden nu. Het waren er misschien maar drie, maar ze maakten kabaal voor tien.

De stem van Phyllis' moeder kwam dichterbij.

Ze riep dat Priit het lood niet mocht vergeten. En had ze al verteld dat de kruidenierszaak in de Bohemiastraat afgebroken werd, en dat er in die kelder een reusachtige ketel stond?

Ze lachte kakelend. 'Daar valt geld te verdienen, Priit!'

Er viel een schaduw over mij en de tafel toen Phyllis' moeder in het deurgat verscheen.

'Hoe gaat het hier?' zei ze.

Ik had nog net de tijd om naar haar te glimlachen en te zeggen: 'Ik word,' maar toen was het alsof ik me omdraaide in mijn eigen lichaam. Het bloed trok uit mijn hoofd weg. Mijn ingewanden krompen samen. Mijn romp vloog naar voren. De inhoud van mijn maag schoot naar buiten, alsof ik voor de voeten van Phyllis' moeder en op mijn kleren een pan soep uitkieperde.

'Ba,' deed ik.

Ik bleef voorovergebogen staan, wijdbeens, met mijn armen een eindje van me af. Ik durfde nauwelijks naar de plas pap kijken.

'Hou de hond tegen!' riep Phyllis' moeder.

Achter mijn rug en naast me werden kasten opengetrokken, emmers gevuld, dweilen gespreid.

Phyllis hield de hond bij zijn nekvel vast. Ze zei: 'Ga toch zitten.'

Ik vroeg me af of ze het tegen mij had.

'Ga toch zitten, Oskar, zit,' moest Phyllis' moeder zeggen, voor ik het deed.

Ze voegde er iets aan toe over de hitte buiten – dat het hier eigenlijk warmer was dan daar. Ze zei iets over mijn schoenen en mijn hemd, of ik die niet beter kon uitdoen. En of ik misschien wist waarom een appelflauwte een appelflauwte heette, was een vijg geen flauwer fruit?

Ik dacht: ze ratelt zo door om mij te doen vergeten dat ik me schaam.

Ik deed mijn ogen dicht. Misschien bleef dan alleen mijn lichaam in de keuken achter, maar nee, dat werkte niet, ik schaamde me nog altijd dood.

KISTJE

Op de terugweg plaagden Priit en Petra me. Ze zeiden klusje tegen kusje en vrouw tegen meisje, het sloeg allemaal nergens op. Om ze duidelijk te maken dat ik hun grappen flauw vond, kietelde ik mezelf onder mijn arm en deed alsof ik lachte. Dat vonden ze juist grappig.

Ze zeiden niks over het voorval in de keuken. Ze konden moeilijk niet ruiken dat ik tussen ze in zat. Helemaal schoon had Phyllis' moeder mijn hemd en mijn schoenen niet gekregen. De smaak in mijn mond was dezelfde als de walm om me heen. Gelukkig stonden de ramen op een kier en tochtte het een beetje.

Anders dan op de heenrit gleden we voorzichtig de verkeersdrempels over. Af en toe schommelden we heen en weer. Dan kreunde de pick-up onder het gewicht van de berg metaal in de laadbak.

Priit zei iets in het Oudijzers. Dat ik het cadeautje van mijn vrouw wel erg goed vasthield.

Ik zei: 'Ha,' en ik keek naar het kistje op mijn schoot.

Het kistje was nieuw en schoon. Er zat geen kastpapier op, geen collage van foto's, geen behang. Het hout was donker en glad. De spijkertjes glansden alsof ze van zilver waren. Ze zaten mooi op een lijn, vier op een rij. Ik hoorde een hamer tikken als ik ernaar keek.

Af en toe tilde ik het deksel op en legde mijn hand in het kistje. Het was een manier om ook de binnenkant vast te houden. Ik had nog nooit een cadeau gekregen dat gemaakt was terwijl ik erbij was.

Dat had ik ook tegen Phyllis gezegd toen we afscheid namen.

Ze keek naar de grond, omdat ze niet wilde dat ik haar ogen zag. Er hing een traan aan het topje van haar neus.

Het duurde lang voor ik haar antwoord verstond.

'Ik heb nog nooit een kistje cadeau gegeven.'

Phyllis' moeder moest lachen. Ze zei: 'Oskar heeft ons ook van alles gegeven.'

Ik kreeg een hoofd als een boei.

'Ocharm,' zei Phyllis' moeder.

Na het afscheid vulden ze met z'n drieën de deuropening. De pick-up reed ze met een bochtje voorbij, van ze weg, de hobbelige weg af, de woestijn met de bakstenen bergen in. In de zijspiegel aan Priits kant ving ik nog een glimp van ze op. Het leek alsof ze alle drie naar me zwaaiden.

Priit dacht dat ik grinnikte om de grap die hij had gemaakt.

Ik zuchtte eens, dan wist hij dat ik vooral moest zuchten om zijn grappen.

'O ja, o ja,' zei Petra. Ze gaf klapjes op mijn knie, alsof ze blij voor me was, maar ze vertelde niet waarom.

De groene weiden links en rechts veranderden in de

betonnen pakhuizen. Daarna kwamen de tuinen en de voortuintjes en de huizen die ik herkende. Ten slotte reden we het stuk Stoofstraat in waar ik vaak kwam. Ik wees de Pomonastraat aan toen we er voorbij reden.

'In die straat woon ik,' zei ik. 'Daar in dat huis met die ontplofte voortuin.'

Dat begrepen Priit en Petra niet.

We moesten met de pick-up lang in het midden van de weg staan wachten voor we konden oversteken naar OUD IJZER CV.

Petra stapte uit om de poort open te maken. Ik kreeg het portier bijna tegen mijn gezicht, omdat ze niet gewend was dat er iemand achter haar aan uit de pick-up kroop.

Het afscheid werd een beetje Oudijzers.

Ik bedankte voor de rit, maar Priit hoorde me niet. Petra hoorde me wel. Ze draaide zich om. Terwijl de pick-up naar binnen reed, begon ze aan een mooi antwoord, maar ze kon niet kiezen tussen alle woorden die ze in haar hoofd hoorde. Uiteindelijk tilde ze haar armen op en zei: 'Ah,' zoals altijd als ze verdwaalde in wat ze wilde zeggen. Ze kneep in mijn wang en ze glimlachte eens.

'Goed geluk,' zei ze, voor ze de poort sloot.

Het was een raar moment: in de hele Stoofstraat was geen verkeer. De wind hield zijn adem in. Een paar minuten lang was ik helemaal alleen, op een duif na die door de goot liep.

Daarna reed er toch weer een auto langs. Ik bleef een tijdlang op de hoek van de Melkweg staan treuzelen. Ik kon veel verschillende richtingen uit, maar het dringendst waren een schoon hemd en schone schoenen.

Thuis schitterde de keuken van het zonlicht. De vloer glom, de kastjes glansden. Ik wist niet wat ik zag.

De stapel kranten die als een plant elke dag hoger was geworden op een stoel, had papa weggewerkt. Er kon weer iemand zitten. Midden op de tafel stond een grote vaas met bloemen. Het was een rafelig boeket uit onze tuin, maar het was er wel een.

Ik liep grijnzend naar papa's werkkamer om te vragen wat er gebeurd was. Hoeveel kabouters waren er komen poetsen, en hadden ze gezongen en gefloten bij hun werk?

De deur stond open en papa was er niet. Even leek het alsof ik weer op de hoek van de Melkweg en de Stoofstraat stond, op dat ene moment dat er geen verkeer was, dat er niks gebeurde, met alleen die duif in de goot.

Ik luisterde scherp naar ons huis.

Boven keek ik om de hoek van de deur of papa niet op bed lag, maar het bed was leeg en breed, met de sprei er strak overheen.

In de badkamer trok ik mijn schoenen en mijn overhemd uit. Ik raakte verstrikt in mijn mouwen, omdat ik Phyllis' kistje was vergeten neer te zetten.

Het hemd waste ik met zeep uit het pompje. De zeep rook naar appels. Mijn schoenen spoelde ik slordig af. Algauw waren mijn kousen en mijn broek en mijn onderbroek nat. Ik kon ze net zo goed aanhouden en in het lege bad stappen. Ik wilde fris zijn tot onder mijn vel, dus deed ik alles uit en zeepte me van boven tot onder in.

Mijn gezicht hield ik lang onder de kraan. De kou sneed. Het kippenvel trok van mijn hals naar mijn armen.

Ik droogde me af, maar droog werd ik niet. Het zweet hing al klaar in de lucht.

Ik liep de kamer van Bossie en mij in en zocht een goede plek voor het kistje van Phyllis. Eerst zette ik het op mijn nachtkastje. Daar was het te weinig van mij alleen. Ik zette het er onderin.

Ik trok een onderbroek aan, zocht kleren bij elkaar.

Van de schoenen die ik wilde aantrekken vond ik alleen de rechterschoen. De linkerschoen lag diep onder Bossies bed, tussen de jaargangen *Zo Zit Dat* en de halve ruimteschepen en de verfrommelde zakdoeken.

Ik moest languit op de grond gaan liggen en met een

uitgestrekte arm onder het bed vissen. Ik schroeide mijn wang aan het tapijt, omdat ik me ineens terugtrok.

De brieven van mama lagen vlak voor mijn neus.

Een tijdje lag ik stijf naast het bed, met mijn ogen en mijn mond wijd open, als een vis op het droge.

Ik durfde het rode koordje om de drie enveloppen eerst niet los te maken. Ze hielden de woorden van mama bijeen. Stel je voor dat ze uit elkaar zouden vallen.

Mijn vingers werden erg traag.

Voorzichtig draaide ik de enveloppen een voor een om. Er zaten grote postzegels op geplakt met een foto van een ruïne, een fontein, een bord tomaten.

Bossie en ik hadden erg mooie namen, als mama ze schreef.

Ik hoefde de brieven niet uit de enveloppen te halen om mama bijna niks te horen vertellen. Ze schreef drie keer over het weer en drie keer over de kleur van de lucht als de zon onderging. Over de zon zelf zei ze dat hij siste als hij het water raakte. De zee noemde ze de Golf.

Soms leek het alsof ze dacht dat wij graag wilden weten hoe het met Italië ging. Ze beschreef hoe je pasta moest eten met alleen maar een vork, een andere keer vertelde ze wat je moest doen om geen zonnesteek te krijgen als de zon weer eens hing te schitteren boven de Golf.

We wilden liever weten hoe het met haar ging, maar dat antwoord gaf ze niet. In plaats daarvan stelde ze een domme vraag. Of we het goedvonden dat ze nog even daar bleef. Zelfs als we ja wilden antwoorden, wisten we niet hoe. We hadden geen adres om naar terug te schrijven.

Ze deed grappig.

Welk roomijs kan zingen?

Straciatellalalala.

We moesten niet lachen.

Ze schreef een zin die mij aan het huilen bracht. Die zin kwam onverwacht, helemaal op het laatst.

'Zijn jullie sterk?'

Ik deed het rode koordje terug om de brieven en ademde diep in.

Achter me kraakte het huis. Het was de trap die vanzelf lawaai maakte. Hout leefde niet alleen 's nachts. Heel even schoot het door mijn hoofd dat het mama was die de trap af liep.

Dat maakte de stilte in huis erger dan eerst.

Het stapeltje brieven legde ik terug waar ze lagen, onder het bed.

Toen ik beneden kwam, viel het zonlicht mooi over de keukentafel en de vloer. Op weg naar buiten liep ik erdoorheen.

Ik zag een briefje op het aanrecht liggen dat ik daarnet over het hoofd had gezien. Uit de vorm van papa's hoofdletters probeerde ik de toon op te maken. Er stond: *Jongens! Blijf thuis als jullie dit lezen.*

RODODENDRON

Ik liep de Melkweg in, het plantsoen over. Aan het eind van het paadje naast de kerk twijfelde ik tussen rechtdoor en linksaf. Door aan Geesje te denken en hoe zij vorige week achter Bossie en mij aan was gelopen, herinnerde ik me welke kant ik op moest.

Vlak bij het huis met de rododendrons dacht ik de stem van mijn broer boven de bomen te horen uit komen. Toen ik bleef staan, was er alleen het geluid van ronkende grasmaaiers.

Een eind verderop moest ik de oprijlaan met de witte kiezels af. Ik probeerde om de bocht te kijken of ik mijn broer niet zag. Heel even kwam het in me op te gaan roepen: 'Bossie, kom naar huis!'

In plaats van het laantje te volgen, dook ik de struiken in. Gebukt zocht ik mijn weg onder de rododendrons door. Precies op dezelfde plek waar Bossie en Geesje en ik afgelopen zaterdag waren terechtgekomen, wierp ik me op mijn buik.

Ik was vergeten hoe zacht het daar lag.

Om me heen lagen vlekken van licht. Er floten vogels die we in de Pomonastraat niet hoorden. De bladeren van de rododendrons hingen stil. De bomen daarboven ruisten wel.

Net als zaterdag stonden alle ramen en deuren van het huis open. De tafel onder de patio was leeg, op twee glazen en een fles gele limonade na.

De stoelen op het terras stonden kriskras door elkaar.

Ik luisterde goed of Bossie en Calista ergens in huis waren.

Ik hoorde geritsel van papier vlakbij.

In de schaduw lag een vrouw op een tuinstoel. Ze hield een tijdschrift open. Ze las niet, ze bladerde alleen maar en gooide het tijdschrift na een tijdje verveeld opzij.

Met haar voeten zocht ze op de tast naar haar slippers. Haar zonnebril schoof ze boven op haar hoofd. Er wapperde veel stof van haar jurk achter haar aan toen ze naar binnen liep. Ze passeerde alle ramen en deuren, alsof ze door de muren heen stapte.

Ik hoorde de plop van een kurk die uit een fles wordt getrokken.

Het duurde lang voor de vrouw weer in het volle licht verscheen. Ze had een glas in haar hand. Ze liep naar de rand van het terras en zette haar zonnebril weer op. Ze nam een slok witte wijn. Haar gedachten waren er niet bij. Ze keek naar de tuin zoals ze daarnet naar haar tijdschrift had gekeken. Ze zag eruit alsof ze staand sliep.

Plotseling vulde ze haar longen met lucht.

'Calista?' riep ze.

Er waren vogels die zelfs van de echo schrokken.

De vrouw en ik spitsten onze oren, maar er kwam geen antwoord.

Ik stapte flink door. Terwijl ik de Benedenhoutseweg uit liep keek ik voortdurend om of Bossie en Calista niet net uit de andere richting kwamen. Na een tijdje leek het alsof ik twee kanten tegelijk op liep.

Ik was blij toen ik bij de huizen kwam die Siamese tweelingen waren. Er was meer licht, meer lucht.

Het lawaai van de grasmaaiers liet ik achter me. Voor de tien identieke rijtjeshuizen lagen identieke gazonnetjes van een zakdoek groot, die konden met een nagelschaartje kort worden gehouden. Uit de openstaande ramen van een huis kwam het geschetter van een radio. Er juichten mensen op een tribune. Ver weg klonk het luiden van klokken.

Ik telde de huizen als in een kinderliedje. Mijn voeten stampten met de getallen mee over de stoep. Ik werd er blij van.

In de schaduw van het paadje naast de kerk was het koel. Ik zette mijn handen tegen mijn rug en maakte me breed. Het zweet hing in mijn hemd. Mijn longen stonden in brand.

Een paar seconden duurde het voor het tot me doordrong dat ik naar de torenklok keek. Toen ik zag hoe laat het was, kon ik mezelf wel slaan.

Ik was zo dom te denken dat ik nog een glimp van Jeckyll zou opvangen. Ik dacht dat ik heel misschien nog de hak van de laars van Nancy om de hoek zou zien verdwijnen. Ik was ervan overtuigd dat ik in één keer naar de Stoofstraat kon springen.

Dat viel tegen.

Aan de bocht om het plantsoen leek geen einde te komen. Nog voor ik de hoek van de Melkweg en de Stoofstraat had bereikt, begon ik te stampvoeten.

Geen Jeckyll, geen Nancy.

Ik liet mijn armen vallen en zei hardop: ‘Shitzooi.’

‘Ho?’ zei Bossie.

Ik schrok erg.

Mijn broer leunde met zijn handen in zijn zakken tegen de muur aan de kant van de Stoofstraat, en zette een stap naar voren, het zonlicht in.

‘Shitzooi?’

Ik draaide met mijn ogen en tikte driftig op mijn pols, alsof ik daar een horloge droeg. Had hij de klokken niet gehoord?

Hij deed het rollen van mijn ogen na.

‘Natuurlijk heb ik de klokken gehoord,’ zei hij. ‘Maar je ziet: ik ben Jeckyll niet.’ Hij knikte met zijn hoofd over zijn schouder. ‘En dat daar is Nancy niet. Ik heb die twee onderweg ook niet gezien, Oz. Zijn we nog altijd met dat spelletje bezig?’

Verderop, ter hoogte van de poort van OUD IJZER CV, stond Calista met haar rug naar ons toe. Haar aandacht ging naar de kar die ze voorzichtig vooruittrok. Ze liep achterwaarts en keek af en toe onder haar arm door naar beneden. Er kwamen geen oneffenheden of losse stoeptegels aan.

'Kom dan,' zei ze.

Mijn hele lichaam viel stil.

Op de kar zat de hond.

Hij kon geen kant op. Calista had hem vastgegespt. Zijn tong hing ver uit zijn bek.

De hond was veel jonger dan Jeckyll. Minstens dertig mensenjaren jonger, zou Geesje zeggen.

Calista zag me staan en vertraagde haar pas. Ze probeerde de kar met een bocht om Bossie heen te trekken, maar ze bedacht zich.

Ik deed: tss.

Haar wenkbrauwen gingen omhoog.

Ik knikte eens naar de kar.

Zij zei: 'Had je weer wat?'

Ik zei: 'Dat dier.'

Calista legde haar hand achter haar oor.

Ik herhaalde: 'Dat dier.'

Ze keek naar de hemel en schudde haar hoofd. Ze zei: 'Jankt hij? Piept hij? Heeft hij ergens last van?'

'Mij hoor je ook niet piepen,' zei ik. 'Toch heb ik ergens last van.'

Bossie grijnsde.

We knikten eens naar elkaar.

'Draai je tong om in je mond, Oskar,' zei hij. 'Voor je iets uitkraamt waar je spijt van krijgt. Volgens mij is er nog plaats voor een bult boven je linkeroog.'

Calista deed of ze doof was. Ze tuurde in de verte. Van haar linkerhand maakte ze een vuist die ze met haar rechterhand kneedde.

Bossie hurkte neer naast de hond. Hij krabde hem onder zijn kin.

'Deze jongen,' zei hij, 'kan breken.'

Calista's blik gleed naar de grond. Ze viel uit haar rol. Het was een drang die ze niet kon weerstaan: ze moest vooroverbuigen en de hond een aai geven. Het zag eruit alsof ze ook Bossie een aai gaf.

'Hij kan lopen,' zei ze. 'Maar het is beter dat hij dat niet doet.'

Zoiets had ik nog nooit gehoord. Ik draaide mijn tong om in mijn mond, dat leek me verstandig.

Bossie zei dat er iets aan de botten van de hond scheelde.

'Aan zijn wervels,' verbeterde Calista.

Bossie knikte. 'Aan zijn wervels. Half september gaat hij – dzzzing – onder het mes.'

Calista kreunde even en deinsde achteruit, alsof ze het mes van Bossie ontweek. 'Dan wordt hij geopereerd door een chirurg,' zei ze afgemeten.

'Ai,' antwoordde ik.

Een tijdje waren we alle drie de juiste woorden kwijt. We keken naar de grond en naar de hond.

Er kwamen een paar verhalen van Bossie bij me op. Een enkele keer liepen ze goed af, zoals die hond die na uren dobberen gered werd van de ijsschots waarop hij ronddreef, maar meestal vielen de vliegtuigen en de koeien uit de lucht, de katten kropen in wasmachines, de honden verdwenen in riolen of konijnenholen en werden nooit meer teruggezien, en er waren nog verschrikkelijker verhalen waar je ongemakkelijk van werd. Ik kon maar beter zwijgen of iets vriendelijks opmerken.

Ik zei: 'Ik geloof dat hij glimlacht.'

Calista's blik deed er lang over voor hij bij mij terechtkwam. Ze zocht naar iets geniepigs in mijn ogen, naar een vals trekje om mijn mond.

Uiteindelijk zei ze: 'Ja. Het is een vrolijke hond.'

'Een heel vrolijke hond,' zei ik. Ik draaide een oor in zijn richting. 'Ik heb nog nooit een hond meegemaakt die voortdurend grinnikt.'

Calista en Bossie fronsten hun wenkbrauwen. Ze gingen net als ik met hun oor boven de hond hangen.

'Nu je het zegt,' zei Bossie.

Toen vielen we weer stil.

Ik dacht: in de Melkweg staat alles altijd stil. Als je hier de hoek omgaat, loop je een foto in.

Met mijn ogen liep ik de stoep af, onder Ons Clubhuis door, naar de kerk. Ik klom tegen de gevel op en botste tegen de klok aan.

De boodschap van papa schoot me weer te binnen.

Ik zei: 'O.'

Bossie keek naar me op.

'Eigenlijk kwam ik je halen,' zei ik. 'Er ligt een briefje van papa op het aanrecht.'

'Wat staat erop? *Sorry voor vanochtend, Bossie?*'

'Dat is flauw. Nee. We moeten naar huis en thuisblijven.'

Calista stak haar arm omhoog en cirkelde met haar wijsvinger om haar hoofd. 'Wij waren net een grote wandeling aan het maken.'

Bossie haalde kort zijn schouders op.

'O?' deed Calista. 'Dumbo komt langs en alles verandert?'

'Hij heet Oskar,' zei Bossie. Zijn ogen werden van glas. Zijn lippen waren een lijntje. 'En hij verandert niet alles, maar wel iets.'

Calista moest drie keer vragen of ze hem morgen zou zien. Dat was zielig voor haar. Vooral omdat Bossies antwoord uiteindelijk tegenviel.

Hij zei: 'Waarschijnlijk.'

Dat was niet wat ze wilde horen.

Mijn broer draaide zich om. Hij klapte in zijn handen en hield ze naar me open, zoals je doet als je een wedstrijdje hardlopen begint.

Toen Bossie en ik thuiskwamen, zat papa in zijn werkkamer, wat betekende: niet storen. De deur was dicht. We hielden er allebei ons oor tegen.

Papa telefoneerde met een man die heel hard praatte. Wij hoorden hem, maar we verstonden niet wat hij zei. De man aan de andere kant van de lijn klonk alsof hij in een blik aan het schreeuwen was.

Papa zorgde voor het rustige deel van het gesprek.

'Onder geen beding,' hoorden we hem zeggen. 'Dit is de uitzondering. Hierna gaan we weer over tot de regel.'

We trokken onze mondhoeken naar beneden en probeerden elkaars gezicht te lezen. We werden niet wijzer.

Tot drie keer toe zei papa: 'Abusievelijk.' Ondertussen raasde de man aan de andere kant door. Er was geen speld tussen te krijgen.

Bossie en ik maakten van onze handen babbelende bekken. Daar hielden we meteen mee op toen we papa ineens ijskoud hoorden zeggen: 'Terecht.'

Daarna gooide hij de hoorn neer.

Sneller dan Bossie en ik verwachtten, ging de deur van de werkkamer open.

Papa zat nog met zijn hoofd bij het gesprek. Hij vergat verbaasd te zijn. Hij keek van Bossie naar mij en terug, en zei: 'Daar zijn jullie.'

In de keuken trok hij de koelkast open.

Ik had geen idee of Bossie dezelfde papa zag als ik. In vergelijking met de papa die ik kende, gaf deze papa licht. Zijn bril was schoon, zijn schouders hield hij recht, hij kon de hele wereld de baas. De papa die ik kende droeg meestal kleren uit de winterla, deze had een overhemd met rode ruiten en korte mouwen aan.

Hij nam een fles water, maar zette de fles terug en ruilde hem voor een flesje bier. Het scheelde niet veel of hij beet er de kroonkurk af met zijn tanden. Hij dronk gulzig.

Toen hij in de gaten kreeg dat we met z'n tweeën naar hem stonden te gapen, naar zijn adamsappel eigenlijk, op en neer ging die, op en neer, moest hij lachen.

Hij zei: 'Dag jongens.'

Bossie en ik wisselden een blik, vooral omdat papa voorzichtig een boer liet en ook om die boer moest lachen.

Uiteindelijk zette hij zijn ene voet voor zijn andere en maakte een buiginkje.

'Waar blijft het applaus?' zei hij.

Ik kon aan hem zien dat er een gummibal in hem rondstuiterde.

'Waarvoor?' zei ik.

Hij wees naar zijn werkkamer en tilde zijn handen op als een dirigent. Hij zei: 'De krant draait een lange week verder zonder mij.' Elk woord maakte hij belangrijk, en de punt zette hij met een pen van lucht. Daarna pakte hij het flesje bier weer op en blies over zijn bovenlip, zodat het flesje floot. 'Ik heb een opdracht teruggegeven, jongens. Ik heb tijd.'

De lach die Bossie op zijn gezicht had geplakt liet los. Hij zei: 'Zo.' Hij deed papa na in het klein. Hij zette zijn ene voet maar een beetje voor de andere en maakte een buiginkje van niks. Daarna klapte hij heel zachtjes in zijn slappe handen.

Papa ademde haperend in.

Hij zei: 'Is dat geen goed nieuws?'

Ik vulde mijn longen in één keer met lucht.

Ons huis kromp.

'Dat is geweldig goed nieuws,' zei Bossie. Hij klonk alsof hij de betekenis van geweldig goed nieuws niet kende. 'Wat ga je met al die tijd doen, zo eind augustus?'

Papa rechtte zijn rug, alsof er iets in zijn lichaam losschoot. Misschien was het iets in zijn hoofd dat een plek vond. Hij wilde naar zijn borst wijzen, maar hij onderbrak het gebaar. Alleen zijn ogen bewogen. Ze gingen van Bossie naar mij en terug.

'De tijd is voor jullie,' zei hij. Daarna zette hij zijn flesje bier met een tik op het aanrecht en haalde uit zijn ene achterzak een brief en uit zijn andere een kaart. Hij stak ze allebei omhoog.

'De tijd is voor jou en voor jou en voor mama.'

BOOTS

In het holst van de nacht deed ik mijn ogen open en keek lang naar een draak. Hij boog zich over me heen, waardoor mijn boze droom voortduurde. Pas na een tijdje had ik door dat het de schaduw van Bossie was op het plafond. Hij zat op de grond naast zijn bedlamp.

Ik zei: 'Hoe laat is het?'

Hij schrok op alsof hij had zitten slapen. 'Midden in de nacht,' zei hij. 'Jij moet slapen.'

'Jij ook,' zei ik.

Ik legde mijn arm over mijn ogen, maar hield een kiertje vrij. Ik lag een tijdje stiekem naar mijn broer te kijken.

Hij zat met zijn benen gekruist tussen de brieven van mama. Alles wat ze ons ooit had gestuurd, had hij uitgespreid.

Brief nummer vier lag voor hem. Het kaartje hield hij vast.

Ik schoof naar de rand van mijn matras en duwde voorzichtig een voet onder mijn laken uit.

'Blijf liggen,' zei Bossie.

'Ja,' zei ik, en ik stak achter zijn rug langs het vloerkleed over en kroop in zijn bed. Daar ging ik liggen en bleef ik liggen. Ik knorde zachtjes.

'Varken,' zei Bossie.

'Bossie,' zei ik.

Hij schoof met zijn rug tegen het bed aan, zodat we samen naar de witte huisjes onder de blauwe lucht op de kaart konden kijken. De daken waren kegels van platte stenen. Als je door je oogharen keek, was het een dorp uit een film met sprekende dieren.

Toen Bossie de kaart omdraaide, werd mijn hart weer te groot voor mijn borst. Ik moest eerst in mijn ogen wrijven, en knipperen. Ze schoten heen en weer over de woorden. Ik wilde alles tegelijk lezen, en vooral de laatste vraag.

Die vraag las ik een paar keer.

Iedere keer gaf ik het goede antwoord.

'Ja.'

Bossie moest lachen.

'Dat wou ik net zeggen,' zei hij.

Hij legde de kaart op de grond en kroop over mij heen in bed.

'We komen thuis van school, en daar zal ze zitten.'

'Aan de keukentafel.'

'Bruingebrand.'

'Blij.'

Mijn hart bonkte in mijn keel. Als ik niet oplette, huilde ik nu al. Ik zag hoe mama zich naar ons omdraaide. Haar lach was een watervalletje – ik dook er zo onder. Ze droeg vrolijke kleren. Haar lichtblauwe koffer stond vlak bij de deur, ze had hem daar plompverloren neergezet, wie binnenkwam viel erover.

Ik viel erover, maar mama ving me op.

Ze trok Bossie en mij tegelijkertijd tegen zich aan. Ze kuste ons beurtelings, boven op onze hoofden. Ondertussen klemde ze me vast, zodat het leek alsof ik tegen haar aan geplakt zat. Ik kuste alleen dat ene plekje onder haar ribben, dat ene plekje werd mama, en ik hoopte dat ze door die kus op dat ene plekje wist dat ze nooit meer mocht weggaan.

'Heb je me gemist, mama?' zei ik tegen Bossie.

Hij keek me aan en grinnikte eens. 'Natuurlijk niet,' zei hij. Hij zag mijn gezicht betrekken en herstelde zich snel. 'Natuurlijk niet elke seconde, maar wel bijna. Heb jij mij gemist, mama?'

Ik zette het hem meteen betaald door lang na te denken en te twijfelen. Uiteindelijk zei ik: 'Ik heb je bijna evenveel gemist als Oskar.'

Bossie werd bloedernstig. Hij keek me aan en zei: 'Dat is wel heel veel.'

Ik moest van mijn broer wegkijken, mijn ogen dichtdoen.

Ik zei: 'Poe, ik ben moe.'

'Poe, ik ook,' zei Bossie. Hij draaide zich op zijn zij, naar mij toe. Dat deed hij anders nooit.

Ik keek naar hem. Hij wilde nog iets zeggen, dat zag ik. In zijn gedachten zei hij het al. Zijn lippen bereidden zich erop voor.

'Weet jij eigenlijk waarom mama is weggegaan?'

Ik knikte. Ik vond het moeilijk om Bossie aan te blijven kijken, ik draaide mijn gezicht naar het plafond.

Bossie trok zijn hand onder het laken vandaan en wees met een dansende vinger naar mijn voorhoofd. 'Voor de wirwar?' fluisterde hij.

'Ook,' zei ik.

'Omdat papa nooit tijd had?'

'Ja,' zei ik. Ik strekte mijn arm uit naar de bedlamp en deed het licht uit.

'Slim,' zei Bossie.

Het donker viel niet, het vlijde zich neer.

'Nog meer redenen?'

'Ik denk het niet,' fluisterde ik.

Het vroegste licht kroop voorzichtig in ons gordijn. Buiten floten de eerste merels.

Ik gluurde uit mijn ooghoeken of Bossie zijn ogen al dicht had. Ze glansden. Ze keken nog steeds naar me.

'Waarom hebben we Nancy eigenlijk Nancy genoemd?' vroeg hij ineens.

Ik zei: 'Dat weet je toch? Vanwege die zangeres die mama goedvindt. In de hele maand mei hebben we maar één liedje gehoord. Honderd keer de laarzen. En toen ze wegging werd het stil.'

Bossie grinnikte.

'Weet je eigenlijk waarover dat liedje gaat?' zei hij.

Ik blies verontwaardigd. 'Over laarzen, Bossie, láárzen om op weg te lopen.'

Hij zweeg even en knikte langzaam. Hij zei dat ik op een mooie dag maar eens aan mama moest vragen wat ze echt van dat liedje dacht. En misschien moest ik er zelf nog eens goed naar luisteren.

'Misschien,' zei ik. Maar ik dacht: niet.

Ongeveer tegelijkertijd gingen Bossie en ik verliggen. Ik lag een beetje op zijn kant, maar Bossie vond dat niet erg. Een hele tijd voelden we elkaars adem op en neer gaan, we waren bootjes op een meer.

'Slapen,' zei Bossie.

'Dat we niet doodgaan van de moewigheid.'

'Ken je dat verhaal van die man die in de gevangenis zat?'

Ik deed mijn ogen dicht. Ik kon het niet laten: ik lag naar het donker te grijnzen. Ik had al op een verhaal gehoopt.

'Wat had hij misdaan?' zei ik.

'Dat weet ik niet. Ik weet alleen dat het goed was dat hij iets had misdaan. Want kijk: om tien voor acht, terwijl hij in zijn cel zat te wachten op zijn ontbijt, brak de hel los om hem heen. De grond onder zijn voeten daverde. Hij wist het meteen: dit is niet goed. De stad lag tegen een vulkaan aan, en die had lang genoeg geslapen. Met een kracht die een standbeeld van drieduizend kilogram zestien meter ver kan wegblazen, werd de hele stad weggeveegd. Er gingen achtentwintigduizend mensen dood.'

'Dat zijn er veel,' zei ik.

'Er was maar één overlevende.'

'Nee.'

Bossie zei: 'Ja. De man zat onder de brandwonden, maar hij leefde nog. Hij heeft zijn naam veranderd. Hij is bij een rondreizend circus gaan werken. Komt dat zien, komt dat zien: de Enige Overlevende.'

'Is het echt waar gebeurd?'

'Ja,' zei Bossie, en hij trok een stuk van het laken naar zich toe. 'Het ene moment ben je niks waard, het volgende moment ben je bijzonder.'

Ik luisterde een tijdje naar mijn gedachten. Daarna luisterde ik naar Bossies ademhaling die vertraagde.

Ik vroeg of er iets uit het verhaal te leren viel.

'Bossie?'

GEESJE

De volgende ochtend was ik sneller dan Bossie klaar met het kaften van mijn schoolboeken. Ik mocht weg, zei papa, ik was vrij.

Ik ging bij Geesje langs. Haar moeder zei: ‘Dat is gek. Ik dacht dat Geesje bij jullie was.’

Ik zei: ‘Nee, niet bij ons thuis. Misschien is ze in Ons Clubhuis.’

Geesjes moeder probeerde te lachen.

‘Een clubhuis is altijd spannend,’ zei ze.

Op weg door de Stoofstraat hoopte ik dat ik om de hoek van de Melkweg zou komen, en dat Geesje echt op de muur zou zitten.

Ze zat er.

Ik zei: ‘We moeten eens een foto van je nemen, zoals je daar zit.’

Haar ene voet rustte op de andere. Op haar schoot lag haar boek. Ze las.

Ik ging naast haar zitten, en liet het lang stil.

Af en toe keken we naar elkaar.

Hoe graag ik het ook wilde vertellen, ik zei niks over mama. Voor haar was dat niet prettig om te horen. Geesjes tante zou nooit terugkomen.

In plaats daarvan begon ik over Nancy en Jeckyll.

Geesje glimlachte kort. Ze zei: 'Ik maak me geen zorgen.' Ze keek naar de torenklok en rekende uit dat we nog vier en een half uur hadden voor Nancy en Jeckyll zouden langskomen, als ze langskwamen.

'En als ze niet langskomen, is dat zo.' Geesje knikte eens en tilde haar boek een eindje op.

Toen de ijscoman in de Stoofstraat kwam aanrijden, stelde ik voor een ijsje te halen. Ik zei dat ik geld had voor straciatellalalala.

Ze wilde geen ijsje.

Ik zei: 'Maar ik heb geld.'

'Maar ik heb geen zin,' zei Geesje.

Ik vroeg hoe het met haar boek ging.

'Goed,' zei ze. 'Bijna uit.'

Ik zei: 'Ik wacht.'

www.bartmoeyaert.com
www.queridokinderboeken.nl

De auteur ontving voor het schrijven van dit boek een werkbeurs van het Vlaams Fonds voor de Letteren.

Omslagontwerp J. Tapperwijn
Omslagillustratie Ben McLaughlin

ISBN 978 90 451 1192 6 / NUR 283, 284